Der Autor:

Willis Hall wurde in Yorkshire geboren und lebt heute mit seiner Familie in St. Albans, Hertfordshire. Er ist ein bekannter englischer Drehbuchautor und Stückeschreiber. Sein erstes Kinderbuch ist ›Und Dinosaurier gibt es doch . . .‹. Weitere Titel von Willis Hall in deutscher Sprache: ›Henry Hollins geht in die Luft‹, ›Der letzte Vampir‹ und ›Keine Angst vor Dr. Jekyll!‹.

Willis Hall

Drachenjagd

Aus dem Englischen von Irmela Brender

Mit Zeichnungen von Alison Claire Darke

Deutscher
Taschenbuch
Verlag

Titel der englischen Originalausgabe: ›Dragon Days‹,
erschienen bei The Bodley Head Ltd., London

Von Willis Hall sind außerdem bei dtv junior lieferbar:
Und Dinosaurier gibt es doch . . ., Band 70212
Der letzte Vampir, Band 70239
Keine Angst vor Dr. Jekyll!, Band 70274

Ungekürzte Ausgabe
Juli 1992
2. Auflage April 1993
Deutscher Taschenbuch Verlag GmbH & Co. KG, München

ISBN 3-7915-0804-0
Umschlaggestaltung: Celestino Piatti
Umschlagbild: Markus Grolik
Gesetzt aus der Aldus 11/12·
Gesamtherstellung: Ebner Ulm
Printed in Germany · ISBN 3-423-70260-5

1

Der alte Mann im Kostüm eines Zauberers machte mit seinen langen, dünnen Fingern magische Zeichen über dem Zylinder, dann steckte er die Hand hinein und zog ein graues, schäbiges Kaninchen heraus.

Das Publikum klatschte. Der alte Mann lächelte. Er griff wieder in den Hut, und diesmal holte er eine lange Schnur mit Nationalflaggen heraus.

Das Publikum stampfte mit den Füßen.

Der alte Mann machte eine Pause. Die Monde und Sterne auf seinem Gewand und dem spitzen Hut funkelten geheimnisvoll. Er lächelte noch breiter und wandte sich strahlend den Leuten in den Sitzreihen vor ihm und auf den Rängen zu. Plötzlich tauchte seine Hand wieder in den Zylinder, und diesmal verblüffte er mit einem Riesenstrauß künstlicher Blumen.

Die Zuschauer schrien und pfiffen durch die Finger.

Mit ausgestreckten Händen bat der Alte um Ruhe. Er trat vor und spähte über das Rampenlicht. »Meine Damen und Herren«, sagte er, »für mein nächstes Kunststück benötige ich einen kleinen Jungen als Assistenten.«

Ein paar Augenblicke herrschte Stille, die nur vom Geraschel von Chipstüten und Bonbonpapierchen unterbrochen wurde.

»Na los«, sagte der Alte im Zaubererkostüm, »bestimmt ist irgendwo im Publikum ein kleiner Junge bereit, heraufzukommen und mir zu helfen.«

In der dritten Reihe Sperrsitz gab Mrs. Emily Hollins ihrem elfjährigen Sohn einen Rippenstoß. »Los, Henry – melde dich«, drängte sie. »Sei nicht so schüchtern!«

»Wer wagt, gewinnt«, bemerkte Albert Hollins, Henrys Vater, der an der anderen Seite des Jungen saß.

Henry schüttelte den Kopf, schloß die Augen, machte sich auf seinem Platz klein und wünschte, er wäre anderswo.

»Ich, Mister!« rief ein kühner Knabe aus dem Hintergrund. Ein paar Leute drehten sich herum und streckten den Hals, sie wollten sehen, woher die Stimme kam.

»Und ich!« schrie ein anderer Tapferer, ermutigt vom ersten.

»Ich!« – »Hier, Mister!« – »Ich, bitte!« Jetzt meldeten sich abenteuerlustige Jungen aus allen Ecken.

Der Alte hob die Hand über den Kopf und streckte den knochigen Zeigefinger aus. Das war das Zeichen für einen anhaltenden, regelmäßigen Trommelwirbel aus dem Orchestergraben. Zugleich wanderte der Strahl eines Scheinwerfers von irgendwo oben über das Publikum und durchstreifte Reihe um Reihe. Während überall Jungen wild die Arme schwenkten, hielt der Scheinwerferstrahl an Platz Nummer 23 in der dritten Reihe Sperrsitz.

Vom Licht geblendet, kniff Henry Hollins die Augen zusammen und versuchte, sich noch kleiner zu machen.

»Diesen Jungen dort nehme ich!« rief der Zauberer.

Emily Hollins neben Henry lächelte. »Jetzt kannst du dich nicht mehr drücken«, flüsterte sie ihrem Sohn zu. »Er hat sich entschieden. Dich will er.«

»Beßres hast du nie getan«, sagte Albert Hollins lächelnd, »als was du nunmehr unterfängst.« Er packte Henry am Handgelenk, half ihm auf die Füße und schob ihn hinaus in den Gang.

Als Henry zur Bühne stolperte, klatschten die Zuschauer, stampften mit den Füßen, schrien und pfiffen durch die Finger. Er blinzelte in das Scheinwerferlicht, das ihm überallhin zu folgen schien.

An einer Seite führten ein paar Treppenstufen zur Bühne. Der Alte kam herüber, beugte sich vor und winkte Henry herauf. Dann nahm er den Jungen an die Hand und geleitete ihn genau zur Mitte der Bühne.

Der Trommelwirbel endete mit einem prächtigen Finale.

Diesmal war die Stille im Theater vollkommen. Henry, immer noch mit dem Alten Hand in Hand, starrte auf das Meer von Gesichtern, die ihn anschauten, und fragte sich, was seine Eltern ihm wohl diesmal eingebrockt hatten . . .

Es hatte an einem Abend vor mehreren Monaten angefangen, als Albert Hollins bedeutsam Messer und Gabel weggelegt und über den Eßtisch hinweg mitgeteilt hatte: »Ich habe eine fabelhafte Idee für die Ferien in diesem Jahr.«

Emily und Henry hatten besorgte Blicke getauscht.

Sie kannten Alberts »fabelhafte Ideen«. Besonders, wenn es um die Ferien ging. Die Ferien der Familie Hollins verliefen nie ganz wie geplant.

»Nur zu, wir sind ganz Ohr«, sagte Emily und blinzelte Henry zu. »Was hast du diesmal mit uns vor? Zwei vergnügte Wochen im Kreis der Reichen und Berühmten an den goldenen Stränden der Französischen Riviera? Oder vierzehn Tage Wasserski und Tauchen in den klaren blauen Wassern der Karibik?«

»Weder – noch«, sagte Albert. »Ich dachte an vierzehn Tage Sandburgbauen mit den Bedürftigen und Bescheidenen in Cockleton-am-Meer.«

Emily zog die Mundwinkel herunter. »Nicht schon wieder Cockleton-am-Meer!«

»Können wir diesmal nicht etwas anderes machen?« bat Henry. »Wir fahren jedes Jahr dorthin.«

»Das stimmt nicht ganz«, sagte Albert. »Wir haben es schon mit anderen Gegenden versucht – aber nirgendwo war es so nett wie in Cockleton-am-Meer.«

»Wir haben es noch nie mit dem Kreis der Reichen und Berühmten an der Französischen Riviera versucht.« Emily seufzte verzagt.

»Und nie mit Tauchen in der Karibik«, sagte Henry. »Immer landen wir in Cockleton-am-Meer.«

»Im Hotel Seeblick«, fügte seine Mutter hinzu.

»Aber diesmal nicht«, sagte Albert. »Das ist ja meine fabelhafte Idee. Wir wohnen nicht im Hotel – diesmal wird es anders!«

»Er will dieses alte Zelt wieder ausgraben, Henry«, sagte Emily entsetzt. »Unser letzter Campingurlaub war eine Katastrophe!«*

* Wer sich für den katastrophalen Campingurlaub der Hollins' interessiert, kann dieses Abenteuer in einem anderen Buch mit Henry Hollins nachlesen: »Der letzte Vampir«.

»Laß mich doch mal ausreden«, brummte Albert und schüttelte den Kopf. »Vom Zelt ist gar nicht die Rede. Diesmal leihe ich einen Wohnwagen von Mr. Witherspoon in der Fabrik.«

Die Hollins' lebten in der Stadt Staplewood, wo Albert im Büro einer Firma arbeitete, die Gartenzwerge aus Gips herstellte und in die ganzen Welt exportierte. Cyril Witherspoon arbeitete am Fließband in der Fabrik. Die Nachricht, daß sie ihre Ferien in Mr. Witherspoons Wohnwagen verbringen sollten, machte offenbar weder Emily noch Henry überglücklich.

Henry Hollins sah wenig begeistert aus.

Emily Hollins zog die Nase hoch. »Geht das auch in Ordnung?« fragte sie.

»Natürlich geht es in Ordnung«, sagte Albert ärgerlich. »Cyril Witherspoon gilt als einer der besten Gartenzwergarbeiter in der Welt. Er würde uns kaum seinen Wohnwagen leihen, wenn das nicht in Ordnung ginge, oder?«

Nach einer Pause fügte er hinzu:

»Das geht nicht nur in Ordnung – ihr werdet sehen, das wird großartig!«

Und er sagte das mit soviel Überzeugungskraft, daß weder Emily noch Henry Lust hatten, mit ihm zu streiten.

Als die Ferienzeit kam, brachte Mr. Witherspoon den Wohnwagen. Er wurde an den Wagen der Hollins' angehängt und nach Cockleton-am-Meer geschleppt. Dort stellten sie fest, daß der Wohnwagenplatz ideal war; er lag auf einer Anhöhe und bot den schönsten Blick aufs Meer.

Und nach den ersten Tagen war Henry Hollins bereit zuzugeben, daß Wohnwagen und Ferien weit mehr als in Ordnung waren.

Sie hatten im weichen, nassen Sand am Strand Krabben im Netz gefangen.

Sie hatten Strandfußball gespielt, wobei sie ihre Jakken als Torpfosten benutzten, und Henry hatte Albert siebzehn zu eins geschlagen, mit Emily im Tor.

Sie hatten Zuckerwatte gegessen und Fisch und Fritten und Eis am Stiel und Würstchen mit Senf und heiße Waffeln und Hamburger mit Ketchup und frisch gebackene zuckrige Krapfen – wenn auch nicht alles auf einmal.

Und in spätabendlicher Dunkelheit waren sie unter den Sternen über den leeren Strand gebummelt, hatten den Wellen zugehört, die unten an den Pier schlugen, hatten den winzigen Fischerbooten zugesehen, die vor Anker schaukelten, und hatten den salzigen Duft des Meeres gerochen, den der Wind herantrug.

Henry Hollins hätte tatsächlich behauptet, daß es vollkommene Ferien waren – bis zu dem Moment, in dem er auf der Bühne des Theaters am Südkai stand und auf dieses erschreckende Meer von Gesichtern starrte . . .

Der alte Zauberer legte ihm den Arm um die Schultern und lächelte auf ihn herab. »Wie heißt du, mein Junge?«

»Henry.«

»Nur Henry?« fragte der Alte und strich seinen langen Bart. »Oder geht es noch weiter?«

»Henry Hollins«, murmelte Henry.

»Er sagt, er heißt Henry Hollins!« Die Stimme des Alten dröhnte durchs Theater bis zu der Platzanweiserin, die mit einem Tablett voll Orangenlimonade und Eisschokolade ganz hinten stand und auf die Pause wartete. »Und sag mal, Henry«, fuhr der Zauberer fort, »hast du das immer bei dir?« Dabei tanzten seine Fin-

ger neben Henrys Gesicht, und er zog ihm ein Ei aus dem Ohr.

Das Publikum brüllte vor Lachen.

In der dritten Reihe Sperrsitz flüsterte Emily ihrem Mann zu: »Ich glaube nicht, daß er ein Ei im Ohr gehabt hat, als wir nach dem Essen aus diesem Café kamen. Das hätte ich doch gemerkt.«

»Wahrscheinlich hat der Alte es im Ärmel gehabt«, flüsterte Albert zurück.

Auf der Bühne machte der Zauberer weitere mystische Bewegungen. »Und sag mir, Henry, gehört dir das auch?« fragte er und zog aus Henrys anderem Ohr ein großes, buntes Seidentuch.

»Daß er das beim Essen nicht gehabt hat, weiß ich ganz genau«, flüsterte Emily, »weil ich ihm ein Taschentuch zum Naseputzen geben mußte.«

Während ihm die Lachstürme des Publikums in den Ohren dröhnten, wünschte Henry Hollins, die Bühne würde sich auftun und ihn verschlucken.

Der Alte in dem seltsamen Kostüm bat mit erhobenen Händen um Ruhe. »Meine Damen und Herren, mit Hilfe meines jungen Freundes will ich jetzt ein Zauberkunststück versuchen, das Sie alle erstaunen und verwirren wird!« Er lächelte geheimnisvoll übers Rampenlicht. »Vor Ihren eigenen Augen werde ich bewirken, daß sich Henry Hollins in Luft auflöst!«

Das Publikum hielt den Atem an.

Henry schluckte. Er fragte sich, ob er noch atmen könnte, wenn er sich in Luft aufgelöst hätte. Und ob er auch für sich selber unsichtbar wäre, wenn das Publikum ihn nicht sehen könnte?

Der Alte war in einen dunklen Bühnenwinkel gegangen und rollte jetzt eine seltsame, schwarze, aufrecht stehende Kiste heran, die mit magischen Zeichen geschmückt war. Die Kiste auf Rädern war etwa zwei Meter hoch und einen Meter tief.

»Beachten Sie das magische Kabinett«, sagte der Alte und rollte es einmal im Kreis herum, damit das Publikum es von allen Seiten sehen konnte. »Sie werden bemerken, daß sich hier vorn eine Tür befindet und daß es sonst keine Möglichkeit gibt, hinein- oder herauszukommen.« Dabei öffnete er die Tür der Kiste und klopfte mit seinem Zauberstab an jede der drei Innenwände. »Darf ich Ihre Aufmerksamkeit außerdem auf die Tatsache lenken, daß Sie direkt unter das Kabinett schauen können, was beweist, daß es in seinem Boden weder eine Falltür noch andere Tricks gibt.«

Das Publikum murmelte zustimmend. Es konnte an der merkwürdigen schwarzen Kiste keinerlei faulen Zauber wahrnehmen.

Wieder hob der Alte einen knochigen Zeigefinger, und der Trommler begann mit einem langen, dumpfen Wirbel.

»Und jetzt, Henry Hollins«, sagte der Alte zu Henry, »bist du bitte so freundlich und betrittst mein magisches Kabinett.«

Henry schluckte wieder, blinzelte, nahm allen Mut zusammen und trat in die Kiste. Der Alte schloß die Tür, und um Henry herum war es schwarz.

Die Bühnenlichter wurden gedämpft. Das Publikum war still; noch nicht einmal ein Programm raschelte. Der Alte schwenkte seinen Stab, murmelte einen geheimnisvollen Singsang, ließ die knochigen Finger in der Luft flattern, und dann riß er zu aller Erstaunen die Tür des Kabinetts auf und zeigte, daß Henry völlig verschwunden war. Zum Beweis, daß keine Täuschung vorlag, drehte der Alte die Kiste auf den Rollen herum, so daß alle vier Seiten sichtbar waren. Keine Spur von Henry – weder im Kabinett noch draußen.

»Wie hat er das gemacht?« flüsterte Emily ehrfürchtig und bot ihrem Mann ein extrastarkes Pfefferminzbonbon an.

»Weiß der Teufel«, wisperte Albert und schüttelte den Kopf. Emilys Pfefferminzbonbons waren zu stark für Alberts Geschmack. »Wahrscheinlich mit Spiegeln.«

Das Publikum jubelte und klatschte heftig, während das Orchester eine fröhliche Melodie anstimmte und der Alte sich dreimal verbeugte.

Der rote Plüschvorhang senkte sich rasch und hob sich wieder vor einem rotnasigen Clown im karierten Kostüm.

Der Clown hatte schon drei komische Geschichten erzählt, eine über seinen Hund, eine über seine Schwiegermutter und eine über seine Frau, da wandte sich Emily stirnrunzelnd an Albert. »Und was ist mit Henry?« fragte sie.

»Was ist mit ihm?«

»Wo ist er?«

»Mach dir keine Sorgen«, riet Albert. »Wahrscheinlich bekommt er hinter den Kulissen eine Limonade und ein Schokoladenkeks. Er wird schon kommen, bevor die Vorstellung zu Ende ist.«

»Pssst!« zischte ein dicker Mann hinter ihnen. »Ich will die Witze hören!«

»'tschuldigung«, murmelte Emily und versuchte ebenfalls mühsam, sich auf die Bühne zu konzentrieren.

Als der letzte Vorhang der Frühvorstellung gefallen war und Henry sich immer noch nicht gezeigt hatte, gingen Albert und Emily Hollins ins Büro des Geschäftsführers, um ihre Besorgnis vorzutragen.

Der Geschäftsführer hieß Reginald Grundy. Er saß hinter einem unaufgeräumten Schreibtisch, trug einen Smoking und eine schwarze Fliege und aß mit den Fingern Fisch und Fritten aus dem Papier. Als die Hollins ihre Geschichte erzählt hatten, runzelte er die Stirn.

»Wissen Sie ganz genau, daß er nicht aus der Kiste herausgekommen ist?« fragte Mr. Grundy.

»Hundertprozentig«, sagte Emily nachdrücklich. »Sonst wären wir schließlich nicht hier.«

Das sah der Geschäftsführer ein. Er zog ein schneeweißes Taschentuch aus der Hosentasche und wischte sich das Fett von den Fingern. »Ich kann nur vorschlagen, daß wir hinter die Bühne zu dem Zauberer gehen – wenn er uns nicht sagen kann, was mit Ihrem kleinen Sohn passiert ist, dann weiß ich auch nicht weiter.«

Es war ein vernünftiger Rat, und Emily und Albert Hollins folgten dem Geschäftsführer durch leere Stuhlreihen zur Bühne. »Um Ihnen die aufrichtige Wahrheit zu sagen«, sagte er an der Tür, die hinter die

Bühne führte, »im tiefsten Herzen bin ich überhaupt nicht überrascht, daß so etwas passiert ist.«

»Oh?« sagte Emily. »Und warum?« Nervös packte sie Albert am Ellbogen, als sie hinter dem Geschäftsführer über die dunkle Bühne gingen.

»Weil ich das Gefühl hatte, daß mit diesem Zauberer was nicht stimmt.«

»Ach du meine Güte«, sagte Albert. Der Geschäftsführer ging voran durch einen dunklen und staubigen Flur. »Woher kam dieser Eindruck?«

Mr. Grundy zuckte die Schultern. »Von der Art, wie er Anfang der Woche aufgetaucht ist – rein aus dem Nichts.«

»Ist er denn nicht die ganze Sommersaison über da?« fragte Emily.

Der Geschäftsführer schüttelte den Kopf. »Keineswegs. Er springt nur diese Woche für die Schwertschluckerin und Feuerfresserin ein. Sie hat Halsweh. Ich habe gar nicht gewußt, wie ich ihre Nummer ersetzen soll. Und Sie werden es nicht glauben, da spaziert am Montagmorgen dieser komische alte Kerl in mein Büro und sagt, er sei ein Zauberer. Ich habe keine Ahnung, wo er herkommt.«

Emily und Albert tauschten besorgte Blicke.

»Sie können sich denken, wie froh ich in dem Moment war, ihn zu sehen – aber, wie gesagt, es überrascht mich nicht, daß jetzt was vorgefallen ist.« Sie standen vor einer dunklen Tür am Ende des langen, düsteren Flurs. Der Geschäftsführer klopfte dreimal. »Das ist seine Garderobe«, sagte er.

Keine Antwort. Er versuchte es noch mal. »Ist da jemand?« rief er laut. Wieder keine Antwort.

Emily drehte den Türknopf. »Abgeschlossen«, sagte sie.

»Das ist kein Problem.« Mr. Grundy holte einen Schlüsselbund aus der Tasche. »Ich habe einen Hauptschlüssel, der in alle Garderobenschlösser paßt.«

Einen Augenblick später standen die drei in der winzigen Garderobe. Sie war nicht nur leer, sie wirkte auch völlig unbenutzt. Auf dem schmierigen Schminktisch war keinerlei Make-up zu sehen, nirgendwo lagen Theaterkostüme.

Mr. Grundy riß die Schranktür auf. Drei Kleiderbügel aus Draht klirrten an der Stange aneinander. »Wenn Sie mich fragen«, sagte er, »dann hat der Alte die Fliege gemacht.«

»Aber was ist aus unserem Henry geworden?« schluchzte Emily Hollins.

»Keine Ahnung.« Der Geschäftsführer seufzte tief. »Das wäre nie passiert, wissen Sie, wenn die Schwertschluckerin nicht Halsweh bekommen hätte.«

2

Als die Tür des magischen Kabinetts sich hinter ihm schloß, bekam Henry sofort Angst. Zum einen fürchtete er sich, weil er in völliger Dunkelheit stand und noch nicht einmal die Hand vor den Augen sehen konnte – zum anderen, weil er kein Geräusch von der Bühne oder vom Publikum hörte. Es war, als hätte man ihn in eine schalldichte Kiste gesperrt – oder fast, als wäre er in einer anderen Welt . . .

Ein paar Sekunden lang stand Henry stockstill, wagte nicht, sich zu rühren, und gewöhnte sich an die

Schwärze und die Stille. Jeden Augenblick erwartete er, daß sich eine Geheimtür oder ein Wandbrett öffnete und ihm die Hand des alten Zauberers oder vielleicht eines Bühnenarbeiters heraushelfen würde. Doch keine Hand kam zu seiner Rettung, und Henry wurde klar: Wenn er aus der dunklen, stillen Kiste fliehen wollte, dann mußte er das allein tun.

Er streckte die Hand aus und berührte eine Wand des Kabinetts nach der anderen. Zu seinem Erstaunen stellte er fest, daß eine der vier Wände nicht mehr vorhanden war – nur leere Schwärze lag vor ihm. Henry schluckte heftig.

Er hatte keine Ahnung, wie weit der dunkle Gang führte – und keine Ahnung, wohin. Doch wenn er hinauswollte, dann durfte er nicht länger still dastehen.

Er ging los, zuerst langsam, beide Hände zu den Wänden ausgestreckt, und setzte vorsichtig einen Fuß vor den anderen.

Doch je weiter er ging, um so zuversichtlicher wurde er. Der Boden unter seinen Füßen war fest und flach und ohne Hindernisse. Wie weit er gegangen war, wußte er nicht, denn in der Schwärze, die ihn umfing, verlor er jedes Gefühl für Zeit und Raum. Es kam ihm vor, als sei er seit Stunden unterwegs und habe Meilen zurückgelegt, doch sein Verstand sagte ihm, das sei unmöglich – oder etwa nicht . . .?

Allmählich hatte er den Eindruck, daß er überhaupt nicht mehr durch einen Gang ging: Die Wände an beiden Seiten waren nicht mehr glatt, sondern rauh und uneben – fast wie Fels. Und unter den Füßen hatte er keinen festen glatten Boden mehr, sondern offenbar harte Erde. Als dann weit voraus die erste Helligkeit zu sehen war, fand Henry Hollins seine

Ahnungen endlich bestätigt: Er ging nicht durch einen Gang, sondern durch einen unterirdischen Tunnel.

Er stolperte weiter, in dem zunehmenden Dämmerlicht unsicherer als in der totalen Schwärze, doch als das Ende des Tunnels näher kam, wurde er munterer, und seine Schritte beschleunigten sich.

Wo in Cockleton-am-Meer würde er wohl herauskommen? Vielleicht hatte ihn der Tunnel allmählich aufwärts geführt, zu den Klippen und in die Nähe des Wohnwagenplatzes? Er hoffte es jedenfalls. So langsam bekam er Hunger. Sicher hatten seine Eltern längst das Theater verlassen und warteten jetzt mit dem Tee in Mr. Witherspoons Wohnwagen auf ihn.

Plötzlich bog er scharf um eine Ecke und merkte, daß er das Ende des Tunnels erreicht hatte. Aber als er hinaustrat, war er nicht wie erwartet im Freien, sondern in einer hohen, geräumigen Höhle – einer Höhle, in der offenbar jemand wohnte.

In einer Ecke brannte ein Feuer, über dem etwas in

einem riesigen gußeisernen Kessel brodelte. An einer Wand standen auf Regalen altmodische Flaschen in allen Formen und Größen, deren Inhalt in den Farben des Regenbogens leuchtete. In einer Ecke der Höhle war ein roh gezimmertes Bett, auf einem dazu passenden Tisch und Stuhl stapelten sich große ledergebundene Bücher. Doch das einzige Lebewesen hier war eine ungeheuer gefleckte Kröte, die in den zuckenden Schatten beim Feuer saß und leise und zufrieden quakte.

Henry spähte auf der Suche nach menschlichen Bewohnern in die dunkelsten Ecken. »Hallo?« rief er, und: »Ist jemand zu Hause?« Aber niemand antwortete außer der grüngelben Kröte, die lauter quakte.

Zuerst untersuchte Henry die Flaschenreihen, die aussahen, als gehörten sie in eine alte Apotheke. Die meisten trugen Etiketten, doch die waren entweder unleserlich geschrieben oder in einer fremden Sprache. Dann ging er zum Tisch und las, nachdem er eine dünne Staubschicht und mehrere Spinnweben weggeblasen hatte, den Titel, der in seltsamen Buchstaben auf einem der ledergebundenen Bände stand:

MYSTISCHE BESCHWÖRUNGEN
UND
ALTE MAGISCHE TRÄNKE

Schließlich stellte Henry sich auf die Zehenspitzen und starrte in die unappetitliche graugrüne Masse, die in dem großen Kessel brodelte.

»Leidest du an Warzen, mein Junge?«

Henry erkannte die Stimme sofort. Er fuhr herum und stellte fest, daß der alte Zauberer ihm durch den Tunnel in die Höhle gefolgt war.

»N-n-nein«, sagte Henry.

»Vielleicht bist du von eiternden Geschwüren befallen?«

»Natürlich nicht!«

»Dann ist dieses Gebräu für dich völlig nutzlos, obwohl es gelegentlich bei Lähmung und Gicht angewandt wurde – aber nie mit bemerkenswertem Erfolg.« Der Zauberer ging zum Kessel und rührte darin mit einer Kelle, die am Kamin gehangen hatte. »Allerdings«, sagte er seufzend, »hat es auch nicht gegen Warzen und eiternde Geschwüre geholfen.«

Henry fand, es gebe Wichtigeres zu besprechen als Warzenkuren. »Warum haben Sie mich hierher gebracht?« fragte er, und: »Wie rasch können Sie mich zurückbringen nach Cockleton-am-Meer?«

Der Alte tat, als hätte er nichts gehört. Er blätterte in dem Band *Mystische Beschwörungen und alte magische Tränke.* »Weißt du«, sagte er schließlich und klopfte mit dem Zeigefinger auf eine Seite, »wenn ich ein Zweiglein Bilsenkraut und einen Eidechsenzahn dazugäbe, könnte diese Mischung vor Hexen schützen – besonders bei Vollmond.«

»Wenn Sie mich nicht sofort zurückbringen«, sagte Henry hartnäckig, »finde ich meinen Rückweg durch den Tunnel allein.«

»Von welchem Tunnel sprichst du, mein Junge?« fragte der Zauberer.

Henry schaute sich um, doch die Öffnung in der Felswand war verschwunden.

»Jetzt weiß ich, was ich falsch gemacht habe«, sagte der Zauberer und fuhr mit dem Finger eine schwarze dicke Zeile im Buch entlang. »Ich hätte nie versuchen sollen, das Zeug zu trinken. Hier steht, man soll damit die befallene Stelle einreiben. Weißt du genau, daß du nicht irgendwo eine Warze oder ein Geschwür an dir hast? Ich möchte es zu gern ausprobieren.«

Henry Hollins schüttelte entschieden den Kopf. »Wenn Sie mich nicht durch den Tunnel zurückbringen, muß ich eben einen anderen Weg nach Hause finden«, sagte er.

Der Alte zeigte auf eine kleine Holztür in der Höhlenwand. »Hier geht es in die Außenwelt.« Als Henry darauf zuging, ergänzte er: »Aber das hilft dir wenig – der Rückweg ist weit.«

»Das macht nichts.« Henry hatte bereits die Hand am Riegel. »Ich finde ihn schon. Ich gehe die Dünen entlang, bis ich in Cockleton-am-Meer bin. In welche Richtung muß ich? Nach rechts oder nach links?«

»Weder – noch«, sagte der Alte. »Ich habe nicht von Meilen gesprochen – ich meine Jahre.«

Henry verlor die Geduld. Er riß die Tür auf. Je schneller er sich auf den Weg machte, um so besser. Aber als er hinausschaute, fuhr er zusammen.

Er riß Mund und Augen auf.

Vom Meer war nichts zu sehen. Die Höhle lag in halber Höhe an einem felsigen Hang, der vor seinen Füßen zu einem grünen, hügeligen Weideland abfiel, das sich erstreckte, so weit das Auge reichte. Weder ein Weg noch ein Haus oder Zaun waren in Sicht. Doch der Anblick dieser lieblichen Landschaft war nicht schuld daran, daß er zweimal blinzelte und heftig schluckte.

Henry hatte die Augen aufgerissen, weil ein Ritter in schimmernder Rüstung, mit Helmbusch, die Lanze angelegt, auf einem gescheckten Pferd durch sein Gesichtsfeld galoppierte.

Den Mund hatte er aufgerissen, als er die bewehrten Mauern und Zinnen eines großen Schlosses bemerkte, das keine halbe Meile entfernt in der Nachmittagssonne glänzte. Die Zugbrücke war herabgelassen. Leichte dreieckige Wimpel an jedem Turm flatterten träge im Wind. Henry sah, wie der Ritter sein herausgeputztes Roß zum Schloß lenkte, und fragte sich, ob er träume. Die Hufe klapperten auf den Brettern der Zugbrücke.

»Ich heiße Merlin«, sagte der Alte, der neben Henry getreten war. Er legte dem Jungen einen Arm um die Schulter und deutete auf die Schloßmauern. »Willkommen auf Camelot.«

Emily Hollins machte die Wohnwagentür auf, schaute hinein und rief Albert zu, der dicht hinter ihr war: »Er ist nicht da.«

Albert Hollins gab zunächst keine Antwort. Schnaufend und keuchend folgte er Emily in den Wohnwagen und ließ sich schwer auf die Eckbank sinken.

Sie waren von der Promenade heraufgekommen. Der Aufstieg war lang und steil, und Albert hatte neben der großen Badetasche mit allen ihren Schwimmsachen einen Einkaufsbeutel voller Lebensmittel getragen, die Emily unterwegs eingekauft hatte. In dem schweren Beutel klapperte es, als er ihn auf den Eßtisch stellte.

»Ich verstehe gar nicht, warum du so viele Dosen Katzenfutter gekauft hast«, murrte er schließlich. »Noch dazu, wo wir keine einzige Katze haben!«

»Für den streunenden schwarzweißen Kater, der jede Nacht unter dem Wohnwagen miaut«, sagte sie. »Wenn wir den armen Kerl nicht füttern, tut's keiner. Jedenfalls haben wir im Moment andere Sorgen als Katzenfutter. Ich möchte wissen, was mit unserem Henry passiert ist.«

Albert schüttelte langsam den Kopf. »Das ist mir ein Rätsel. Wahrscheinlich wird er wieder auftauchen, wenn ihm der Sinn danach steht. Schließlich ist er nicht zum ersten Mal einen Nachmittag lang verschwunden.«

»Er ist zum ersten Mal in einem magischen Kabinett verschwunden«, erklärte Emily. »Ich finde wirklich, wir sollten etwas tun.«

Albert zuckte die Schultern. »Wir haben etwas getan. Wir waren beim Geschäftsführer des Theaters – der konnte uns nicht helfen. Wir waren in der Garderobe des Zauberers – dort war er nicht.« Nachdenklich spielte er mit einer Dose Katzenfutter, Huhn mit Sardinen. »Ich weiß nicht, was wir sonst noch tun können«, sagte er schließlich.

Emily Hollins griff nach ihrer Handtasche und dem

Taschenschirm, den sie gerade weggelegt hatte. »Ich schon, Albert. Komm!«

»Aber wir sind gerade erst angekommen!« stöhnte Albert. »Wo gehen wir jetzt hin?«

»Zurück zu diesem Theater. Wir tun, was wir vernünftigerweise gleich hätten tun sollen. Wir schauen uns dieses magische Kabinett an. Komm!«

Die Wohnwagentür fiel hinter ihnen ins Schloß. Der schwarzweiße Kater miaute laut, aber unbeachtet unter dem Wagen.

Der Theaterpförtner, der Edwin Harbottle hieß, stülpte die Lippen vor und runzelte die Stirn über das Paar vor dem Schiebefenster seines Häuschens. »Angehörige der Öffentlichkeit darf ich nicht hinter die Bühne lassen«, sagte er.

Emily Hollins packte ihren Schirm fester. »Wir waren schon einmal hinter der Bühne«, sagte sie. »Der Geschäftsführer hat uns hingebracht. Es geht um unseren kleinen Jungen, um Henry. Er ist heute nachmittag auf die Bühne gegangen und im magischen Kabinett verschwunden.«

Der Theaterpförtner lachte leise durch seinen strähnigen Schnurrbart. »Dafür ist es da«, sagte er. »Bei jeder Vorstellung geht jemand hinein und verschwindet.«

»Das mag schon sein«, sagte Emily schnippisch. »Aber unser Henry ist nicht mehr herausgekommen. Meines Erachtens ist er noch irgendwo in Ihrem Theater. Lassen Sie uns jetzt also hinter die Bühne, damit wir ihn suchen können – oder soll ich wieder den Geschäftsführer holen?«

»Oder«, sagte Albert und machte eine eindrucksvolle Pause, »sollen wir einen Polizisten mit einem Durchsuchungsbefehl mitbringen?«

»Ach, schon gut – gehen Sie nur«, sagte der Theaterpförtner, der merkte, daß er geschlagen war.

Auf der Bühne war es dunkel. Der Vorhang war heruntergelassen, und die Lichter waren ausgeschaltet. Emily und Albert tasteten sich nervös zu der Stelle, wo sie das magische Kabinett zuletzt gesehen hatten. Es stand immer noch in der Seitenkulisse zwischen dem Trampolin eines Akrobaten, einem goldbemalten Sperrholzthron und einem halben Dutzend Notenständern.

»Und jetzt?« flüsterte Albert.

»Jetzt sehe ich es mir gründlich von innen an.«

»Hältst du das wirklich für richtig?« fragte Albert zweifelnd. »Es ist bestimmt verboten, die magischen Sachen zu untersuchen – und wenn der Zauberer zurückkommt?«

»Dann werde ich ihm ordentlich die Meinung sagen! Schließlich wären wir nicht hier, wenn er unseren Henry nicht verloren hätte, oder?«

Albert mußte zugeben, daß daran etwas Wahres war.

»Bleib du draußen und halt die Augen offen«, sagte Emily. »Ich gehe hinein und sehe mich um.« Sie öffnete die Tür des Kabinetts und schlüpfte hinein. Die Tür fiel hinter ihr ins Schloß.

Albert Hollins wartete, wie es ihm vorkam, ein paar Minuten lang. Ungeduldig trat er von einem Fuß auf den anderen und pfiff tonlos durch die Zähne. Schließlich machte er die Tür ein paar Zentimeter weit auf und rief leise durch den Spalt: »Emily?«

Keine Antwort.

»Emily!«

Immer noch keine Antwort.

»Bist du da?« Nichts.

Albert Hollins streckte nervös die Hand aus und tastete in dem Kabinett herum. Er konnte alle vier Wände berühren, ohne hineinzugehen. Aber Emily berührte er nicht.

Sie war nicht drinnen.

Das magische Kabinett war leer.

»Verflixt noch mal«, sagte Albert finster zu sich selbst. »Zuerst ist Henry verschwunden – und jetzt auch noch Emily!«

»Das zieh ich nicht an!« sagte Henry und betrachtete einigermaßen entsetzt das rauhe wollene Wams, die rote Kniehose und die derben Schuhe, die Merlin ihm gerade gegeben hatte.

Sie waren in die Höhle zurückgegangen, und der Zauberer hatte die Kleidungsstücke aus einem großen Schrank genommen.

»So kannst du nicht durch die Gegend wandern«, sagte Merlin und deutete auf Henrys Kleider.

»Ich will weder so noch anders durch die Gegend wandern. Ich will so schnell wie möglich zurück nach Cockleton-am-Meer.«

»Alles zu seiner Zeit, Junge! Eins nach dem anderen!« brummte Merlin. »Wenn ich recht verstanden habe, hast du dich im Theater freiwillig als mein Assistent gemeldet.«

»Das stimmt nicht«, widersprach Henry. »Ich habe mich überhaupt nicht freiwillig gemeldet. Sie haben mich mit einem Scheinwerfer angestrahlt, und Vater hat mir einen Schubs gegeben. Ich wollte nicht auf die Bühne. Und wenn ich gewußt hätte, daß Sie mich in die Vergangenheit zurückversetzen, Hunderte Jahre zurück – dann hätte ich mich keinen Zentimeter von meinem Platz wegbewegt. Ich bin nur auf die Bühne gegangen, weil ich Ihnen bei einem Zaubertrick helfen wollte.«

Merlin bewegte ärgerlich die Schultern und zupfte sich am Bart. »Ich bin Merlin, Junge!« fuhr er Henry an. »Magier an König Arthurs Hof, Großmeister in der Kunst aller Dinge, die zum Geheimnisvollen und Magischen gehören – und ich wäre dir verbunden, wenn du die Wunder, die ich vollbringe, nicht als Zaubertricks bezeichnen wolltest.« Damit drehte er Henry den Rücken zu und rührte wieder die brodelnde Masse im Kessel.

»Entschuldigung«, sagte Henry.

Merlin gab keine Antwort.

Henry nahm an, daß der Alte schmollte. Na gut, wenn der Zauberer nicht mit ihm reden wollte, dann würde er nicht mit dem Zauberer reden. Henry vergrub die Hände in den Hosentaschen und starrte die große Kröte an, die den Hals blähte, zweimal quakte und ohne zu blinzeln zurückstarrte. Die Stille schien kein Ende zu nehmen. Aber wenn der Zauberer nicht mit ihm sprechen wollte und er nicht mit dem Zauberer sprach, dann würde er nie nach Hause kommen. Henry beschloß, auf die Launen des Alten einzugehen – zumindest vorübergehend.

»Wie lange soll ich Ihr Assistent sein?« fragte er.

Mit strahlendem Lächeln schaute Merlin über die Schulter. »Nicht lange«, sagte er. »Nur bis wir die Aufgabe erfüllt haben, die erledigt werden muß.«

»Welche Aufgabe?«

Der Alte tat, als hätte er nichts gehört. Er schöpfte etwas von dem widerlichen graugrünen Gebräu in eine kleine Lederflasche, die er Henry unter die Nase hielt. »Wie riecht das?«

Henry zog ein Gesicht. »Schrecklich! Es stinkt wie

eine Mischung aus Abwässern und Kohl aus der Schulkantine.«

»Ausgezeichnet.« Merlin steckte einen Stöpsel auf die Flasche und reichte sie Henry. »Behalte das immer bei dir, und verlier es nicht.«

»Wozu?« Henry drehte die Flasche in den Händen. »Haben Sie nicht gesagt, es hilft nichts?«

»Kein Wort davon hab ich gesagt, Junge!« antwortete ihm der streitsüchtige alte Bursche. »Ich habe gesagt, es hilft nicht gegen Warzen und eiternde Geschwüre. Daraus folgt, daß es für etwas anderes gut sein muß! Widersprich gefälligst nicht und gebrauch deinen Verstand! Und steck es nicht da hinein!« schimpfte er, als Henry die Flasche in seine Hosentasche schieben wollte. »Tu, was ich dir gesagt habe, und zieh die Kleider an, die ich dir gegeben habe.«

»Muß ich?«

»Ja. Zu deinem eigenen Besten. Wenn dich jemand in diesem Aufzug sähe, hielte er dich vielleicht für einen bösen Geist oder für einen Kobold. Hast du eine Ahnung, was man hierzulande mit Kobolden und bösen Geistern tut, wenn man sie erwischt?«

»Ich glaube nicht, daß es so etwas wie böse Geister gibt – und Kobolde auch nicht«, sagte Henry.

Merlin seufzte und schüttelte den Kopf. »Du hast noch viel zu lernen, Junge«, sagte er. »Nächstes Mal erzählst du mir vielleicht, daß du auch nicht an feuerspeiende Drachen glaubst?«

»Bestimmt nicht«, sagte Henry. »Ich weiß natürlich, daß es Dinosaurier gab – aber sie sind seit Millionen Jahren ausgestorben –, lange bevor der Mensch . . .«

Er wurde durch Geräusche von draußen unterbrochen, die rasch zunahmen. Zuerst erklang eine grelle

Trompetenfanfare, die im Nachmittagswind stieg und fiel.

Dann hörte er, wie Pferdehufe übers Gras donnerten. Zugleich riefen Männer laut und zornig:

»Nieder mit dir, Ungeheuer!«

»Hier, du stinkender Teufel!«

»Sei verflucht, scheußliches Getier!«

Und da war noch ein Lärm, den Henry nicht kannte.

Es war ein Keuchen, Grunzen und Bellen wie von einem riesigen Tier, das unter Angst und Schmerzen litt.

Merlin stieß einen kleinen Fensterladen in der Höhlenwand auf und winkte Henry zu sich.

»Vielleicht glaubst du jetzt an Drachen«, sagte der alte Zauberer.

Henry schaute aus dem Fenster, blinzelte zweimal und schluckte heftig.

Die Fanfare war vom Schloß herübergeklungen, wo etwa ein Dutzend Herolde in farbenfrohen Kostümen mit langen, silbernen Trompeten auf den Zinnen standen.

Die Schreie und Hufschläge kamen von einem halben Dutzend Rittern, die mit angelegten Lanzen an der Höhle vorbeijagten.

Das Keuchen, Grunzen und Bellen stieß ein riesiger Drache aus, der voll Entsetzen vor den Rittern floh, so schnell ihn seine alten Beine trugen.

Der stachlige, schuppige Drachenschwanz schlug heftig um sich und wollte die Verfolger abwehren. Dicke, grauschwarze Rauchwolken quollen dem Drachen aus den zuckenden Nasenlöchern, und immer wieder drehte das geängstigte Tier den Kopf und stieß lange, orangerote Flammen und sprühende Funken aus.

Doch was der Drache auch tat, die furchtlosen Ritter ließen sich nicht abschrecken. Angefeuert von den Rufen einer Gruppe von Höflingen und Damen auf den Schloßzinnen, stießen die berittenen Edelmänner mit ihren Lanzen dem Drachen in die Seiten und hackten mit ihren Schwertern nach dem zuckenden Schwanz des unglücklichen Tiers.

»Stirb!« schrie einer von ihnen. »Verende, du unsäglicher Satan!«

Er war größer als die anderen, ein Mann mit dichtem Bart, der in goldener Rüstung auf einem schneeweißen Pferd saß und mit einem gewaltigen zweischneidigen Schwert nach dem Drachen schlug. Das Schwert spiegelte die Sonnenstrahlen und blitzte und glänzte, wenn es durch die Luft geschwungen wurde.

»Das ist König Arthur.« Merlin seufzte. »Und sein Schwert ist Excalibur. Ich fürchte, der arme Drache hat keine Chance.«

Henry tat das Tier leid, das dem Horizont entgegenfloh, gefolgt von den Rittern, die unbarmherzig ihr Opfer hetzten.

»Bringen sie ihn wirklich um?«

»Ich fürchte, ja.«

»Warum? Was hat er getan?«

Merlin zuckte die Schultern. »Sie finden, daß schon sein Vorhandensein ein Verbrechen ist.«

»Das ist nicht fair!«

»Er ist ein Drache, und sie sind die Ritter der Tafelrunde«, sagte Merlin. »Außerdem reagieren sie so auf alles, was sie nicht verstehen. Geister zum Beispiel – oder Kobolde.«

Henry Hollins verstand den Wink. Er zog Jacke, Hose und Hemd aus und schlüpfte in das grobgewebte Wams und die Kniehosen, die der Zauberer ihm gegeben hatte.

3

Der leichte Regenschauer hörte so plötzlich auf, wie er angefangen hatte. Aber es konnte ein weiterer kommen, deshalb entschloß sich Emily Hollins, ihre durchsichtige Plastik-Regenhaut nicht auszuziehen. Sie nahm die Brille ab, wischte die Regentropfen weg, die ihre Sicht behindert hatten, setzte die Brille wieder auf die Nase und betrachtete noch einmal die heruntergelassene Zugbrücke, die hochgezogenen Fallgitter, die mächtigen Zinnen und Mauern, aus denen das prächtige Schloß Camelot bestand.

Emily war beeindruckt, auch wenn sie nicht wußte, daß sie vor dem legendären Heim von König Arthur und seinen Rittern der Tafelrunde stand.

»Das ist wohl das sehenswerte Haus von irgendwem«, sagte sie sich und überlegte, wem es gehören könnte.

Da kam ihr ein Gedanke. Aus ihrer Handtasche nahm sie den Führer, den sie gestern für fünfzig Pence im Fremdenverkehrsbüro von Cockleton-am-Meer gekauft hatte. Das Büchlein enthielt Beschreibungen aller Sehenswürdigkeiten, die in der kleinen Küstenstadt und ihrer Umgebung zu finden waren. Emily blätterte und fand rasch, was sie suchte:

COCKLETON HALL ist ein kleines ländliches Herrenhaus zwei Meilen nördlich der Stadt. Der Weg dorthin führt am Bootssee und den Rasenplätzen vorbei. COCKLETON HALL ist ein schönes Beispiel für die Architektur des vierzehnten Jahrhunderts, obwohl Ende des neunzehnten Jahrhunderts Renovierungen am Westflügel vorgenommen wurden. Gegenwärtig ist das Haus im Besitz von Colonel und Mrs.

J. C. Wentworth-Frobisher. Colonel a. D. Wentworth-Frobisher führt auf Wunsch Besucher durch den Rosengarten, während seine Gemahlin, Mrs. Alice Wentworth-Frobisher, in der Gegend berühmt ist für das köstliche Gebäck, das sie zum Tee serviert. Für die Allgemeinheit geöffnet während der Urlaubssaison dienstags, donnerstags, samstags und sonntags von 14 bis 17.30 Uhr.

Eintritt 30 Pence
Kinder unter zwölf zahlen die Hälfte
Für Hunde verboten

»Klein würde ich das nicht gerade nennen«, murmelte Emily vor sich hin und schaute hinüber zu den hohen Türmen mit ihren flatternden Wimpeln. »Zu schade, daß heute Mittwoch ist«, fügte sie bedauernd hinzu. »Tee und Kuchen wären gerade das richtige!«

Emily nahm sich vor, diese Köstlichkeiten gleich morgen nachmittag mit Albert und Henry zu probieren, und drehte der Pracht von Camelot den Rücken. Sie ging in die andere Richtung, wo ihrer Meinung nach Cockleton-am-Meer lag.

Schnell verabschiedete sie das sehenswerte Haus aus ihren Gedanken und überlegte, was sie getan hatte und was nun zu tun war. Sie war durch einen dunklen Tunnel gestolpert. Die Schwärze hatte ihr nicht viel ausgemacht, den Tunnel hielt sie für einen komplizierten Bestandteil des magischen Kabinetts.

Die Höhle hatte sie zugegebenermaßen überrascht, vor allem der Kessel mit dem brodelnden Inhalt und die quakende Kröte. Emily hatte erwartet, daß sie irgendwo unterhalb des Kais herauskommen würde, und das seltsame Höhlenquartier hatte sie leicht erstaunt.

Aber Emily Hollins gehörte nicht zu den Frauen, die

sich so ohne weiteres ablenken lassen. Sie war ausgezogen, um Henry zu finden, und sie würde ihn suchen, bis sie ihn fand.

Alles, was sie bis jetzt gefunden hatte, war Camelot.

Emily nahm an, daß Henry genau wie sie durch den Tunnel und durch die Höhle gegangen war, und vermutete, daß er genau wie sie auf dem Pfad zurück nach Cockleton-am-Meer zu finden hoffte.

Sie schaute in alle Himmelsrichtungen, aber nirgendwo war eine ordentliche Straße zu entdecken, von einer Bushaltestelle ganz zu schweigen.

Wenn sie zurück war, nahm sie sich vor, würde sie ins Theater gehen und dem Geschäftsführer die Meinung sagen! Und diesem Zauberschwindler ebenfalls, wenn er sich noch mal sehen ließ. Es war schön und gut, Leute auf die Bühne zu bitten, damit sie an irgendwelchen Tricks teilnahmen – aber sie zwei Meilen nördlich der Stadt ohne Verkehrsmittel abzusetzen, das gehörte sich einfach nicht! Und noch dazu bei einem Kind! Ja, auf jeden Fall würde sie sich beschweren.

Mit der Handtasche in der einen und dem Taschenschirm in der anderen Hand marschierte sie den holprigen Pfad entlang, der zu einer kleinen buckligen Fußgängerbrücke führte.

Hier machte Emily wieder eine Pause.

Einmal, weil in einer Mulde neben der Brücke zwei der süßesten, niedlichsten strohgedeckten Hütten standen, die sie je gesehen hatte. Hühner liefen durch die Haustür der einen Hütte und wieder heraus, während unter dem Fenster der anderen eine Geiß nachdenklich an einem Geißblatt kaute. Aber am überraschendsten war der Anblick einer jungen Frau, die offenbar ihre Wochenwäsche in dem kristallklaren Bach wusch, der unter der Brücke rauschte.

»Ach – das arme Ding!« sagte sich Emily. »Wahrscheinlich streikt ihre Waschmaschine. Warum geht sie nicht in einen Waschsalon – in diesem kalten Wasser schäumt das beste Waschmittel nicht!«

Noch seltsamer war, wie die junge Frau sich angezogen hatte. Ihre Kleider waren so altmodisch, daß Emily an längst vergangene Zeiten denken mußte.

»Jetzt weiß ich, warum! Entweder kommt sie von einem Kostümumzug, oder sie geht zu einem«, murmelte Emily vor sich hin, und dann rief sie laut: »Entschuldigung – Sie dort – einen Moment, bitte!«

Die Bauersfrau, die am Bach kniete und sich darauf konzentrierte, ihre Wäsche gegen einen großen flachen Stein zu schlagen, hatte den Ankömmling auf der Brücke nicht bemerkt. Als sie die Stimme hörte, schaute sie auf und war von Emilys Anblick weit mehr entsetzt als Emily von dem ihren. Die Bauersfrau hatte nie zuvor eine durchsichtige Plastik-Regenhaut gesehen – sie hatte überhaupt noch nie etwas aus Plastik gesehen. Und in dem Moment, in dem sie aufschaute, verfing sich der Wind in Emilys Regenhaut und peitschte sie hinter ihr hoch wie einen gläsernen Umhang.

Die Bauersfrau, eine einfache, abergläubische Seele, setzte sich auf die Fersen und brachte kein Wort heraus.

Emily ihrerseits war sich nicht sicher, ob sie wirklich die Aufmerksamkeit der jungen Frau auf sich gelenkt hatte, deshalb rief sie noch mal: »Guten Tag – Ihr Aufzug gefällt mir.« Zugleich schwenkte sie ihren Taschenschirm.

Unglücklicherweise stimmte etwas nicht mit Emilys Taschenschirm. Seit Wochen funktionierte er nicht richtig. Der Verschluß war kaputt. Sie hatte ihn zur Reparatur bringen wollen, war aber nicht dazu gekommen. Manchmal öffnete sich der Schirm von selbst, und meist bei den unpassendsten Gelegenheiten.

Jetzt war wieder eine.

Mit aufgerissenen Augen sah die Bauersfrau, wie sich der merkwürdige schwarze Stock wunderbarerweise in einen großen und düsterschwarzen, pilzförmigen Gegenstand verwandelte.

»Entschuldigung«, rief Emily, »aber könnten Sie mir sagen, wo Cockleton-am-Meer liegt?«

Die junge Frau hatte sie offensichtlich nicht gehört. Aus irgendeinem Grund zitterte sie von Kopf bis Fuß. Emily fiel außerdem auf, daß die junge Frau unverwandt den Regenschirm anstarrte. Das war es also!

»Ich Dumme!« sagte sich Emily. »Die arme Frau dort macht sich Sorgen, ob sie ihre Wäsche trocken bekommt. Weil ich meinen Regenschirm aufgespannt habe, glaubt sie, es regnet gleich wieder!«

Entschuldigend lächelte sie der Frau zu, winkte mit dem Schirm und rief: »Vergessen Sie meinen Schirm! Der hat ein Eigenleben! Er öffnet sich von allein!«

Aber offenbar konnten ihre Worte die Ängste der Bauersfrau nicht vertreiben. Immer noch auf den Knien, hielt sie mit einer Hand ihr nasses Wäschebündel und rutschte weg von der seltsamen Frau auf der Brücke, die da mit wehendem Umhang stand und den geheimnisvollen, riesigen schwarzen Pilz schwenkte.

»Ach, gehen Sie doch bitte nicht weg!« rief Emily. »Ich möchte nur wissen, welches ist der nächste Weg zur Stadtmitte?«

»Hexe . . .«, murmelte die Bauersfrau und rutschte immer noch auf den Knien zurück.

»Nein, der nächste – der nächste Weg nach Cockleton-am-Meer?«

Langsam stand die Frau auf; die nasse Wäsche drückte sie fest an den Busen, und mit der freien Hand deutete sie zitternd auf Emily. »Hexe!« schrie sie noch einmal und floh in die nächste Hütte.

»Es wird nicht regnen, bestimmt nicht . . .«

Doch die Hüttentür war schon hinter der jungen Frau zugefallen, und Emily stand da wieder allein. »Dann muß ich den Rückweg eben allein finden«, sagte sie sich. Sie senkte den Regenschirm und ging weiter über die Brücke und den Pfad.

Es war merkwürdig, doch Emily wurde das Gefühl nicht los, daß ihr aus den Hüttenfenstern mehrere Augenpaare nachstarrten.

Henry Hollins versteckte sich halb hinter Merlins Gewändern und versuchte so unverdächtig wie möglich auszusehen.

Sie standen am riesigen Kamin im königlichen

Schlafzimmer, wo dicke Luft war – zwischen dem Herrscher aller Briten und seiner Königin gab es gewisse Spannungen.

»Ich nehme doch an, Arthur, du hast nicht vor, diesen toten Drachen über Nacht im Hof herumliegen zu lassen«, sagte Königin Ginevra. Sie stand an den Fenstern mit den Butzenscheiben und sah ihren Gemahl böse an.

König Arthur murmelte etwas vor sich hin und untersuchte weiter die blauschwarze Wunde an seinem Schienbein.

»Ich versteh einfach nicht«, fuhr die Königin fort, »warum du die Leichen dieser scheußlichen Viecher immer nach Camelot bringst. Schließlich kann man sie nicht essen. Du weißt so gut wie ich, daß Drachenfleisch ungenießbar ist. Es schmeckt wie eine Mischung aus faulem Hering und verdorbenem Hammel.«

»Au!« sagte König Arthur. Er hatte aus Versehen eine schmerzende Stelle berührt.

»Arthur! Hörst du mir überhaupt zu?«

»Ja, Liebes«, sagte der König. »Die Drachenleiche wird morgen früh als erstes weggeschafft. Ich habe sie hergebracht, weil ich den Kopf ausstopfen und in die große Halle hängen lassen will.«

»Es hängen sowieso schon viel zu viele ausgestopfte Drachenköpfe in der großen Halle, Arthur! Alle starren sie einen beim Essen an. Ich sehe nicht ein, warum wir die Wand nicht hübsch tapezieren lassen können, wie sie das in anderen königlichen Schlössern machen.«

»Soll ich vielleicht diese großen Ungeheuer durchs Land streifen und all das verwüsten lassen, was sie sehen?« sagte Arthur. Er deutete auf sein verletztes Bein.

»Schau nur! Sieh dir an, was das gräßliche Vieh mit meinem Bein gemacht hat!«

Ginevra rümpfte die Nase. »Das geschieht dir recht«, sagte sie. »Wenn du mit deinem großen dummen Schwert auf die Drachen loshackst, kannst du es ihnen nicht übelnehmen, daß sie auch mal versuchen, sich zu wehren . . .«

Die Königin hielt inne, als sie wieder aus dem Fenster schaute. Sie sah, wie ein paar Diener einen Rinderkadaver über das Hinterbein des toten Drachen bugsierten, das ihnen den Weg versperrte. Sie behinderten wieder andere, die einen Holzkarren mit zwei Rehläufen und mehreren toten Schwänen und Pfauen zogen.

Königin Ginevra runzelte die Stirn. »Und wer hat all diese Nahrungsmittel bestellt?«

König Arthur hüstelte nervös. »Sie sind für das Festessen.«

»Festessen? Was für ein Festessen?«

»Das Festessen heute abend, mein Liebes.«

»Kein Wort hast du mir von einem Festessen gesagt.«

»Ich dachte, das wäre nicht nötig. Es gibt immer ein Festessen, wenn wir einen Drachen getötet haben. Das weißt du doch!«

»Das ist völliger Blödsinn!« rief Königin Ginevra. »Du hast letzte Woche auch einen Drachen getötet. Und da gab's kein Festessen.«

»Nein, Liebes.« König Arthur überlegte sorgsam, was er sagte. »Das war ja auch ein kleiner Drache. Für den hat sich ein Fest nicht gelohnt. Aber der von heute ist ein Mordskerl, und deshalb . . .«

»Wir können heute abend kein Festessen machen, Arthur«, flehte Ginevra. »Ich habe nichts anzuziehen!«

»Bestimmt findest du was, Ginni«, sagte Arthur.

Entschuldigend hob er die ausgestreckten Hände. »Jetzt können wir es nicht mehr abblasen, mein Liebes. Alles ist schon organisiert. Bedienerinnen, Jongleure, Akrobaten, Narren . . .«

»Nach allem, was ich weiß, gibt es im Schloß nur einen einzigen Narren«, sagte die Königin eisig, »und der steht keine fünf Meter von mir entfernt!« Sie drehte sich abrupt um und stürmte aus dem Zimmer, wobei sie in ihrer Eile fast über Henry Hollins stürzte.

König Arthur wartete, bis die Tür hinter Ginevra zugefallen war, dann funkelte er böse seinen Hofmagier an. »Steh nicht so herum, Merlin!« Mit dem Zeigefinger deutete er auf sein verletztes Schienbein. »Kümmere dich darum!«

Merlin verneigte sich tief. »Sofort, Majestät«, sagte er und wandte sich an Henry, der immer noch hinter seinem Rücken versteckt war. »Reich mir die Zaubersalbe, Junge.«

Henrys überraschtes Gesicht zeigte sich neben Merlins umfangreichem Gewand. »Ich habe keine Zaubersalbe«, flüsterte er.

»Ich glaube nicht, daß ich diesen Jungen schon einmal gesehen habe«, sagte König Arthur, der Henry erst jetzt bemerkte.

»Er ist mein Assistent, Majestät.« Wieder verbeugte sich Merlin tief und zischte dabei Henry zu: »Doch! Das Zeug in der Lederflasche, das ich dir gegeben habe!«

»Ach, diese Zaubersalbe!«

Henry holte das Warzen-und-Geschwür-Mittel aus seinem Wams. Der alte Magier nahm ihm die Flasche aus der Hand und verteilte etwas von ihrem Inhalt über König Arthurs schmerzendes Schienbein.

»Wie fühlt es sich an, Majestät?«

Der König bewegte das Bein und verzog das Gesicht.

»Wie haben Majestät den Schlag bekommen?«

»Das widerliche große Ungeheuer hat mich mit dem Schwanz erwischt«, König Arthur zeigte mit der Hand, wie es gewesen war, »gerade als ich ihm Excalibur in die Seite stieß.«

»Mit dem Schwanz?« Merlin machte ein besorgtes Gesicht. »Ich wollte, Ihr hättet mir das gleich gesagt.«

»Warum?« fragte der König mißtrauisch.

Merlin zuckte die Schultern. »Eine Wunde, die der Schwanz eines Drachen geschlagen hat, ist am schwierigsten zu heilen.«

»Das soll wohl heißen, deine stinkende Salbe taugt nichts? Genau wie das Zeug, das du mir letzte Woche gegen meine Warze gegeben hast.« Arthur zeigte auf das kleine, aber häßliche Gewächs am Knöchel seiner rechten Hand. »Die ist immer noch da.«

»Ich meine, Majestät«, sagte Merlin besänftigend, »daß eine Wunde, die ein Drachenschwanz geschlagen hat, Zeit braucht zum Heilen.«

»Hoffentlich nicht zuviel«, sagte der König. »Zum Tanzen nach dem Festessen heute abend brauche ich beide Beine.«

»Bis heute abend, Majestät, wird die Medizin gewirkt haben – bis dahin seid Ihr wieder ganz hergestellt.« Merlin verneigte sich wieder und fügte hinzu: »Darauf gebe ich mein Wort.«

»Hmm.« Der König klang nicht überzeugt. Er richtete seinen Blick auf Henry. »Wie heißt du, Knabe?«

»H-H-Henry, Majestät«, stotterte Henry. »Henry Hollins.«

»Das ist ein merkwürdiger Name«, sagte Arthur stirnrunzelnd.

»Und aus welchem Teil des Königreiches stammst du?«

»Er ist Henry von Hollins«, warf Merlin hastig ein.

»Hollins? Hollins?« murmelte König Arthur. »Von diesem Ort habe ich noch nie gehört.«

»Es ist ein winziger Weiler an einer der entlegensten Grenzen der fernsten Gegenden im Reich Eurer Majestät. Der Vater des Knaben ist Adalbert von Hollins – ein Alchimist. Er hat das Rezept für die Drachenwundensalbe empfohlen.«

Das erinnerte Arthur an sein verletztes Schienbein. »Es tut immer noch weh«, sagte er finster.

»Ist es nicht wenigstens ein bißchen besser?« fragte Merlin.

»Keine Spur«, grollte König Arthur.

»Es wird schon werden, Majestät, vor dem Festessen heute abend ist es vorbei – gerade rechtzeitig, daß Ihr Vergnügen am Tanz habt.« Der alte Zauberer lächelte dem König ermunternd zu.

»Das wollen wir hoffen«, sagte der König. »Um euretwillen. Und jetzt – hinweg. Ich will keinen von euch mehr sehen bis zum Fest.«

Merlin verbeugte sich wieder, dann winkte er Henry, so schnell wie möglich zu verschwinden.

König Arthur versuchte mit dem verletzten Bein auf dem gefliesten Boden zu gehen.

»Aua!« rief Britanniens Herrscher.

Henry Hollins und Merlin der Magier waren schon auf der anderen Seite der dicken Eichentür.

»Warum haben Sie gesagt, daß mein Vater Adalbert heißt und Alchimist ist?«

Merlin zuckte die Schultern. »Irgendwas mußte ich sagen.«

»Sie hätten nicht sagen müssen, daß mein Vater Ihre nutzlose Salbe erfunden hat.«

»Sie ist nicht nutzlos«, widersprach Merlin und ging die breite Steintreppe hinunter. »Diese Salbe dient einem äußerst nützlichen Zweck – ich habe nur noch nicht herausgefunden, welchem.«

»Sie hilft nicht gegen Warzen und Geschwüre, das wissen Sie schon«, sagte Henry. »Und wenn Sie mich fragen, hilft sie auch nicht bei Drachenwunden.«

»Nein«, sagte Merlin. »Da muß ich dir recht geben.«

»Und was wird heute abend passieren?« fragte Henry. »Wenn Ihre Salbe sein Bein nicht geheilt hat? Was macht er dann mit uns?«

Merlin lächelte. »Aber heute abend wird sein Bein geheilt sein. Sobald der König ein oder zwei Krüge Wein geleert hat und anfängt, von den alten Zeiten mit den Rittern zu reden, vergißt er, daß mit seinem Bein was nicht in Ordnung war. Er wird so gut tanzen wie jeder andere auf Camelot.« Der Magier griff nach Henrys Hand und schaute ihm ins Gesicht. »Vertrau mir«, sagte er.

»Ich habe Ihnen schon einmal vertraut. Als ich in das magische Kabinett stieg. Und das hab ich jetzt davon.«

Sie waren am Fuß der Treppe angekommen, und Merlin, der immer noch Henrys Hand fest umfaßt hielt, führte ihn durch einen breiten Bogengang in den größten, höchsten Raum, den der Junge je gesehen hatte.

»Mann!« sagte Henry Hollins, schaute sich um und blinzelte heftig.

Obwohl es Hochsommer und noch früh am Abend war, drang nur wenig Licht durch die kleinen Bogenfenster ins Schloß. Der riesige Raum wurde von Dutzenden Binsenlichtern erhellt, die in ihren Haltern flackerten und geheimnisvolle Schatten über die hohe gewölbte Decke tanzen ließen. In einem enormen Kamin brannte ein Feuer, über dem zwei Diener langsam einen Spieß drehten, an dem ein Ochse briet. Andere Diener liefen hin und her und deckten einen großen runden Tisch mit Weinkrügen und Holztellern.

»Das«, sagte Merlin und machte eine eindrucksvolle Pause, »ist die große Halle von Camelot.«

Aber Henry staunte und blinzelte nicht über die Größe des Raums, auch nicht über die Betriebsamkeit darin.

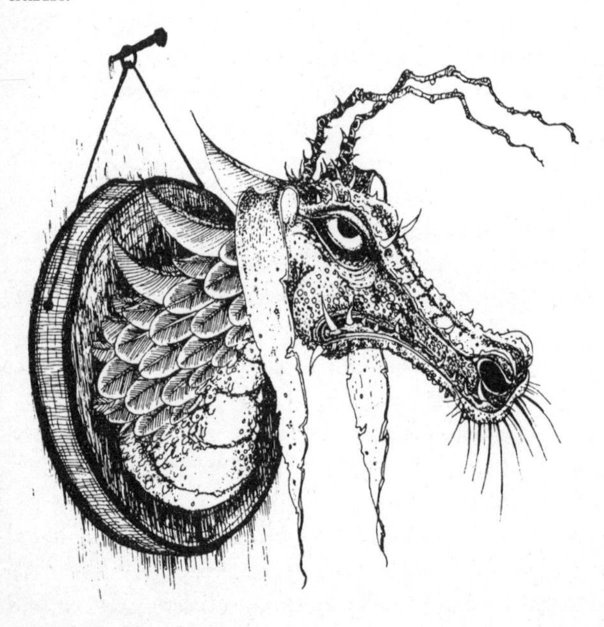

»Galaktisch!« murmelte er.

Die Wände der großen Halle waren mit Dutzenden und Aberdutzenden ausgestopften Drachenköpfen bedeckt. Es gab Drachenköpfe in allen Formen und Größen. Manche hatten gespaltene Zungen, andere lange

Schnauzen. Manche waren strahlend grün und schuppig, andere dunkelgrün und glatt. Alle schauten ernst und starr herunter. Henry kam es vor, als sähe ihm jeder einzelne direkt in die Augen.

»Sie sind jetzt eine gefährdete Art, weißt du«, sagte Merlin traurig. »Jemand muß der Sache ein Ende machen.«

»Dem Drachentöten?« fragte Henry.

Merlin nickte. »Verstehst du jetzt, warum ich deine Hilfe brauche? Wird dir klar, warum ich dich um all diese Jahre zurückversetzt habe?«

Henry verstand es nicht. Noch nicht. Aber er sagte dem Zauberer nichts davon. Er beschloß zu warten, bis Merlin ihm zur rechten Zeit alles erklärte.

4

Emily Hollins packte ihren schwarzen Regenschirm noch fester und warf einen raschen, nervösen Blick über die Schulter. Sie kam sich vor, als würde sie ›Räuber und Gendarm‹ spielen. Wenn sie zurückschaute, sah sie zwar niemanden, aber irgendwie wußte sie, daß mehrere Leute, hinter den Bäumen verborgen, ihr folgten.

Der holprige Pfad, über den sie etwa eine halbe Meile gestolpert war, kreuzte endlich einen Fahrweg. Dem folgte Emily in dichtes Unterholz. Zum Glück war das Waldende in Sicht. Doch als Emily erkannte, daß jenseits der Bäume kein Anzeichen einer Stadt zu sehen war, sank ihr der Mut.

Hinter dem Wald lag nichts als eine weitere hügelige Landschaft, die sich bis zum Horizont erstreckte.

Emily fand das höchst merkwürdig. Warum gab es hier denn keine Straßen? Wenn sie in dieser Gegend wohnte, hätte sie sich längst nachdrücklich beim Landratsamt beschwert. Himmel noch mal, wenn die Leute ihre Steuern zahlten, hatten sie schließlich auch ein Anrecht auf ein paar Dienstleistungen, oder etwa nicht? Schließlich lebte man nicht mehr im Mittelalter!

Wieder schaute Emily über die Schulter und sah zu ihrer großen Überraschung, daß etwa ein Dutzend Leute hinter den Bäumen hervorgekommen war und ihr in einigem Abstand folgte.

Je mehr, um so besser, dachte Emily. Wenigstens waren es keine Straßenräuber. Die gingen nicht in Zwölfergruppen ihrer Arbeit nach – oder etwa doch? Natürlich nicht! Höchstwahrscheinlich sind es Wanderer, sagte sich Emily. Oder andere Naturfreunde. Jedenfalls würden sie sicher die Gegend kennen – vielleicht hatten sie sogar eine Karte dabei.

Sie stellte sich an den Wegrand und wartete auf die Gruppe. Bald hätten alle ihre Sorgen ein Ende.

Aber das Seltsame war, daß die Leute stehenblieben, sobald sie nicht mehr weiterging. Sie drängten sich am Waldrand zusammen und schauten zu ihr herüber.

Das wurde so langsam lächerlich!

Und dann kam eine zweite Gruppe aus dem Wald, fünf oder sechs mit einer Art Schubkarren. Emily beobachtete, wie die beiden Gruppen sich vereinten; sie schoben jetzt gemeinsam den Karren und bewegten sich vorsichtig auf sie zu.

Als sie näher kamen, sah Emily, daß der Karren ein einfaches, ungestrichenes Fahrzeug mit scheibenähnlichen Holzrädern war, auf dem eine Art Käfig stand. Der Käfig war so schlicht gebaut wie der Karren und hatte Holzgriffe. Momentan war er leer, aber seiner

Größe nach konnte er ein recht stattliches Tier aufnehmen – etwa einen Löwen, vielleicht sogar einen Gorilla. Aber warum sollte jemand in Cockleton-am-Meer ausziehen, um einen Löwen oder Gorilla zu fangen?

Heiliger Bimbam! Hoffentlich war nicht irgendein wildes Tier aus dem kleinen Safari-Park entwichen.

Doch als die Leute, die den Karren zogen und schoben, noch näher kamen, hatte Emily einen anderen Einfall. Sie sah, daß alle eine altmodische Bauerntracht trugen. Und dann erkannte sie die junge Frau, die an der Fußgängerbrücke ihre Wäsche gewaschen hatte.

Natürlich! Der Kostümumzug! Die Trachtengruppe mit dem Karren gehörte dazu.

Emily schwenkte ihren geschlossenen Regenschirm und rief fröhlich: »Schönen guten Abend, alle miteinander!«

Die Gruppe blieb etwa zwanzig Schritte von ihr entfernt stehen. Einige Leute tauschten unruhige Blicke.

»Sie werden es nicht glauben – ich suche immer noch den Weg nach Cockleton-am-Meer!« sagte Emily lächelnd zu der jungen Frau, die sie wiedererkannt hatte.

Der jungen Frau schien es unangenehm zu sein, daß sie persönlich angesprochen wurde. Sie versteckte sich hinter dem Karren.

Ein untersetzter, unrasierter Mann im zerlumpten Wams trat vor. Offenbar war er der Sprecher der Gruppe. »Steig ein!« sagte er rauh und deutete mit dem Daumen auf den Käfig.

»Ich suche keine Fahrgelegenheit«, sagte Emily leicht überrascht. »Danke vielmals, aber wenn Sie mir zeigen könnten, wie ich zur Stadtmitte komme, gehe ich mit dem größten Vergnügen zu Fuß.«

»Steig ein!« wiederholte der Unrasierte noch grober als zuvor.

»Also wirklich!« murmelte Emily vor sich hin. »Höflichkeit kostet nichts – er könnte wenigstens ›bitte‹ sagen!«

Andererseits war sie schon ein gutes Stück in den neuen Schuhen gegangen, die sich als etwas zu eng erwiesen hatten. Außerdem war es immer noch sehr heiß für einen Spaziergang, obwohl es inzwischen schon Abend geworden war. Immerhin hatte er ihr eine Fahrt in die Stadt angeboten.

»Also gut.« Emily gab nach. »Obwohl ich mir bestimmt ziemlich blöd vorkomme, wenn ich in diesem Ding hocke!«

Sie ging auf den Wagen zu, und der Unrasierte machte den Käfig auf. Emily zog sich hoch und schlüpfte durch die Gittertür. Ein wenig beunruhigte sie, daß die Kostümierten erleichtert aufseufzten, als sie im Käfig war. Sie fand es auch etwas sonderbar, daß der Unrasierte die Tür verriegelte. Und warum hob er so triumphierend die geballte Faust?

»Wahrscheinlich ist das ein Witz, den ich nicht verstehe«, sagte sich Emily. »Mir ist es egal – wenn sie mich nur wieder rauslassen, bevor der Umzug beginnt.«

Sie kicherte bei dem Gedanken, als Teil eines Festzugs über die Promenade von Cockleton-am-Meer gekarrt zu werden, und machte es sich im Käfig so bequem wie möglich.

Zu ihrer Überraschung folgte die Trachtengruppe dem Fahrweg nicht in der eingeschlagenen Richtung, sondern drehte den Karren um und schob ihn auf den Wald zu, aus dem sie gekommen war.

»Merkwürdig«, dachte Emily. »Ich muß wohl doch in die falsche Richtung gegangen sein. Aber wenn die

Trachtengruppe zum Umzug wollte – warum kehrt sie jetzt um?«

Es war alles höchst sonderbar.

Doch noch sonderbarer war das Verhalten der kostümierten Leute: Einer nach dem anderen tanzte um den Karren, sie schnitten Emily Grimassen, und ein paar von ihnen, offensichtlich die mutigeren, streckten die Finger durch die Gitter und versuchten Emily zu kneifen.

Und was flüsterten sie da einander zu?

Emily spitzte die Ohren.

»Hexe . . . Hexe . . . Hexe . . .«

»Es gibt schon komische Typen«, sagte sie sich. »Aber ich kann mich nicht beklagen – immerhin machen sie sich die Mühe und karren mich nach Cockleton-am-Meer. Das sind nur gutmütige kleine Neckereien.«

Und sie lächelte freundlich und winkte ihnen mit dem Regenschirm durch die Gitterstäbe des Käfigs.

Die hölzernen Räder knarrten und knirschten, als sie über die Wurzeln und Buckel des holprigen Fahrwegs rollten, der zurückführte nach Camelot.

Henry Hollins schaute über die Zinnen der Brustwehr hinunter auf zwei schneeweiße Schwäne, die träge im Gewirr der Wasserlilien im Burggraben schwammen.

»Ich versteh nur nicht«, sagte er, »warum Sie gerade auf mich gekommen sind – warum haben Sie sich nicht einen Assistenten aus Ihrer eigenen Zeit gesucht?«

Merlin runzelte die Stirn.

Der alte Zauberer und der Junge waren heraufgekommen, um fern vom Lärm der Festvorbereitungen die Lage zu besprechen.

»Ein Knabe aus dieser Zeit wäre völlig nutzlos«, knurrte Merlin. »Die stecken voller Vorurteile – sie werden in dem Glauben erzogen, daß Drachen eine Geißel und eine Plage der Menschheit sind.«

»Sind sie das etwa nicht?« fragte Henry. »Stimmt es denn nicht, was König Arthur gesagt hat? Daß sie durchs Land streifen und alles verwüsten, was ihnen unter die Klauen kommt?«

»Mach dich nicht lächerlich!« fuhr ihn der Zauberer an. »Ich habe dich ausgewählt, weil du intelligent bist, Junge. Laß mich nicht im Stich. Du hast doch gestern die Drachenjagd gesehen. Ist dir dieses arme, gehetzte, halbverrückte Geschöpf so vorgekommen, als könnte es irgendwohin streifen oder irgendwas verwüsten?«

Henry überlegte einen Augenblick und schüttelte dann den Kopf. »Nein. Es hat mir nur leid getan.«

»Na bitte«, sagte Merlin.

»Und sind alle Drachen so harmlos wie dieser?« fragte Henry.

Merlin nickte. »Jeder.«

Tief unter dem Alten und dem Jungen traten die weißen Schwäne aus dem Burggraben, streckten die Hälse, schüttelten sich das Wasser aus dem Gefieder und putzten sich.

Merlin war tief in Gedanken.

»Hast du je vom Einhorn gehört?« fragte er schließlich.

»Natürlich«, sagte Henry. »Sie sahen aus wie weiße Pferde, und sie hatten ein goldenes Horn mitten auf der Stirn. Aber es gibt sie nicht mehr, nicht wahr?«

»Leider nicht«, sagte Merlin traurig. »Als das allerletzte Einhorn von der Erde schied, war das Zeitalter der Unschuld vorbei. Und wenn der letzte Drache erschlagen ist, wird das Zeitalter der Ritterlichkeit tot sein.«

Die Sonne fing gerade an, hinter den Rand des Horizonts zu sinken. Ein kühler Wind fegte über die Brustwehr mit ihren Zinnen, und Henry fröstelte.

»Wie viele Drachen gibt es noch?« fragte er.

Merlin schüttelte den Kopf. »Nicht mehr viele.«

»Und wie wollen Sie die Drachenjagd verhindern? Und was kann ich dabei tun?«

»Ich weiß es nicht«, sagte Merlin leise. »Noch nicht. Wir werden uns etwas ausdenken müssen.«

Von unten drang heiseres Gelächter herauf. Die Komödianten waren gerade angekommen und gingen über die Zugbrücke.

»Es wird Zeit, daß wir hinuntergehen zum Fest«, sagte Merlin.

Der Hafenmeister schnippte einen Kekskrümel vom Revers seiner schnittigen marineblauen Uniformjacke mit den goldenen Knöpfen und bedachte Albert Hollins durch das geschlossene Metallgitter mit einem

Kopfschütteln. »Tut mir leid, heute haben wir leider geschlossen.«

»Aber ich suche meine Frau und meinen Sohn«, sagte Albert. »Sie sind heute nachmittag im Theater am Südkai in ein magisches Kabinett gestiegen und nicht mehr herausgekommen.«

»In das Kabinett, das diesem alten Zauberer gehört?« fragte der Hafenmeister.

»Ja«, sagte Albert.

»Ah, das dachte ich mir. Ich habe ihn am Montag gesehen und fand ihn nicht besonders. Die meisten seiner Tricks kannte ich schon. Schade, daß Sie nicht letzte Woche hingegangen sind. Da gab es statt dem Zauberer eine sehr gute Schwertschluckerin. Die Große Alma. Wirklich sehr gut. Wissen Sie, sie hat nicht nur Schwerter geschluckt. Sie hat auch Feuer gegessen!«

»Davon habe ich gehört.« Albert wurde ein wenig ungeduldig. »Diese Woche tritt sie nicht auf, weil sie Halsweh hat. Aber es geht eigentlich darum, daß ich mir Sorgen um meine Frau und meinen Sohn mache. Sie sind jetzt schon seit Stunden weg. Sie sind in Ihrem Theater verschwunden, und ich wüßte gern, was Sie deshalb zu unternehmen gedenken?«

»Es ist nicht mein Theater«, sagte der Hafenmeister ärgerlich und zog seine Manschetten gerade. »Das Theater ist lediglich ein Teil der gesamten Hafenanlagen, für die ich verantwortlich bin. Kommen Sie lieber morgen früh wieder, und wenden Sie sich an den Geschäftsführer des Theaters.«

»An den habe ich mich schon gewandt. Zweimal. Einmal, als Henry verschwunden war, und dann noch einmal, als Emily ins Kabinett gegangen war, weil sie ihn suchte. Beide Male hat mir der Geschäftsführer geraten, zu meinem Wohnwagen zurückzugehen, weil sie vielleicht dort seien.« Albert Hollins drehte sich um und deutete zu den Felsen, wo der Wohnwagenplatz lag. »Ich bin hinauf und wieder zurück – zweimal! Ich bin fix und fertig.«

»Zu schade, daß Sie nicht nächsten Monat hier Ferien machen«, sagte der Hafenmeister. »Dann haben wir nämlich eine Drahtseilbahn. Die bringt Sie für zehn Pence hinauf zu den Felsen – oder für fünfzehn hin und zurück.«

Allmählich verlor Albert Hollins die Geduld. »Wo kann ich mich in aller Form und aufs nachdrücklichste beschweren?« fragte er.

Der Hafenmeister nahm seine glänzende Mütze mit dem goldgeflochtenen Anker ab und kratzte sich am Kopf. »Ah!« sagte er schließlich. »Da stellen Sie mich vor ein Problem. Zu schade, daß Sie nicht bis zum nächsten Sommer damit warten können. Dann eröffnen wir ein Informationsbüro beim Rudersee für die Kinder. Das wäre genau die richtige Adresse.«

Albert riß der Geduldsfaden. »Hören Sie, es interessiert mich nicht, was Sie nächsten Sommer machen«, sagte er erregt. »Ich bin auch nicht an Ihrer Drahtseilbahn in einem Monat interessiert. Noch nicht einmal an der Schwertschluckerin, die letzte Woche auftrat, die Große Alma oder wie sie sich nennt. Mir geht es um das Hier und Jetzt. Ich will wissen, was mit meiner Frau und meinem Sohn passiert ist. Und wenn Sie mir nicht helfen können, dann werde ich jemand finden, der es kann!« Mr. Hollins drehte dem Hafenmeister den Rücken und stapfte über die Promenade davon.

»Zu schade, daß Sie vergangenes Jahr nicht hier waren!« rief der Hafenmeister ihm nach. »Da war am

Strand eine Zigeunerin, die wahrgesagt hat. Die hätte Ihnen sicher helfen können.«

Aber Albert war schon außer Hörweite.

Einige Zeit später saß Albert Hollins allein an einem Ecktisch im Fischspezialitätenrestaurant am Hafen. Er überlegte, was er als nächstes tun sollte. Auf dem Tisch vor ihm standen noch unberührt und schon kalt geworden eine Portion knusprig gebratener Schellfisch, breiige Erbsen und goldbraune Fritten.

»Koste von diesen Pfauenzungen, Knabe«, sagte König Arthur und schob einen riesigen Zinnteller mit Leckerbissen über den runden Tisch. »Sie sind mit Lerchenbrüsten und Rosmarin gefüllt.«

»Nein, danke, Majestät«, sagte Henry Hollins, weil er anderes im Sinn hatte als Essen und außerdem an so üppige Kost nicht gewöhnt war.

»Du solltest wenigstens so tun, als würdest du etwas essen, Junge«, flüsterte Merlin ihm ins Ohr. »Er wird sonst mißtrauisch.«

Henry nickte und nahm sich mit den Fingern ein Stück Fleisch, so groß wie ein Familien-Sonntagsbraten. Die anderen Stücke auf der Platte waren genauso groß. Er tat, als kaute er daran, hatte aber bereits beschlossen, bei der nächsten Gelegenheit das Fleisch einem der riesigen Hunde zuzuschieben, die hinter den Essern herumschlichen. König Arthur jedoch achtete schon nicht mehr auf Henry.

In der großen Halle war soviel los.

Zu den bereits vorhandenen waren hundert weitere Binsenlichter angezündet worden, und ein warmes, goldenes Licht erfüllte den weiten Raum.

Der Kopf des unglücklichen Drachen war bereits

vom Körper getrennt worden; jetzt hing er, an einem Holzbrett befestigt, an auffallender Stelle zwischen den anderen. Die traurigen, blicklosen Augen starrten auf die farbenprächtige Szene im Saal.

Die Jongleure jonglierten.

Die Akrobaten zeigten ihre Kunststücke.

Die Narren waren närrisch.

Eine ganze Schar Diener und Bedienerinnen lief zwischen Feuer und Tisch hin und her und brachte, holte und füllte die Platten so schnell, wie sie geleert wurden.

Die Ritter und ihre Damen saßen um den runden Tisch; sie schlangen das Essen und schlürften den Wein so schnell hinunter, wie ihnen beides vorgesetzt wurde, und amüsierten sich prächtig.

Das heißt, alle bis auf die Königin.

»Ich kann nicht verstehen, Arthur«, sagte Ginevra kühl, »warum du die Zimmerleute überhaupt dieses lächerliche Möbelstück hast anfertigen lassen!«

»Welches Möbelstück meinst du, mein Liebes?«

fragte Arthur und schlürfte roten Wein aus einem goldenen Pokal.

»Diesen blöden runden Tisch natürlich!«

König Arthur runzelte die Stirn. Er schaute sich um. Die Ritter von Camelot hatten aufgehört zu essen; sie sahen auf ihren Herrscher und erwarteten, daß er für die Ehre des runden Tisches eintreten würde. »Er ist nicht blöd, mein Schatz«, sagte Arthur nervös. »Wir haben uns für den runden Tisch entschieden, weil niemand am Kopfende sitzen sollte – so sind wir alle gleich.«

»Und ich behaupte nach wie vor, daß er blöd ist«, sagte Ginevra schnippisch. »Schon allein, weil er so groß ist – ich komme an nichts heran, was in der Mitte steht.«

»Kann ich Euch etwas reichen, Majestät?« fragte einer der Ritter. Er war ein großer, schlanker junger Mann mit freundlichem Gesicht und streckte schon die Hand nach einer Obstschale in der Mitte des runden Tisches aus. »Vielleicht einen Pfirsich? Ich habe längere Arme als Ihr.«

»Das ist Lancelot«, flüsterte Merlin Henry zu, »der vornehmste von König Arthurs Rittern.«

»Nein, danke, Lancelot«, sagte Ginevra kühl. »Du beweist nur, daß ich recht habe – wieso sind wir alle gleich, wenn du die Hand ausstrecken und Dinge erreichen kannst, an die ich nicht herankomme? Meiner Meinung nach«, sie rümpfte die Nase und warf den Kopf in den Nacken, »macht uns das sehr ungleich.«

»Also . . . äh . . . Ich weiß nicht . . . hm . . .«, murmelte Arthur und rutschte unglücklich auf seinem Thron herum.

Die Ritter der Tafelrunde und ihre Damen diskutierten die Frage unter sich, und manche der kleineren

Frauen ergriffen für Ginevra Partei. Zornige Stimmen wurden laut, und heftige Auseinandersetzungen kündigten sich an.

Zum Glück wurde der Streit durch den Hauptmann der Wache unterbrochen, der mit Geklirr in den Saal stapfte. Der kleine Mann trug ein langes Schwert, das bei seinen Schritten geräuschvoll über die Bodenfliesen schleifte. Am Tisch wurde es ruhig, als der Hauptmann dem König etwas ins Ohr flüsterte.

»Was?« brüllte Arthur, setzte sich kerzengerade auf seinen Thron und knallte den goldenen Pokal auf den runden Tisch. »Laß das Weib sofort hereinbringen!«

»Ja, Majestät.« Der Hauptmann verbeugte sich tief und eilte so rasch aus der großen Halle, daß Funken von seiner Schwertspitze stoben, die über den Boden kratzte.

Arthur schaute von einem Ritter zum anderen. »Offenbar«, sagte er lächelnd, »haben einige Bauern aus dem nahen Dorf eine Hexe eingefangen!«

»Eine Hexe?« In der Tafelrunde entstand erregtes Gemurmel.

»Welche Sorte von Hexe, Majestät?« fragte einer der Ritter, ein fleischiger Hüne namens Bedivere.

»Nach allem, was ich höre, eine äußerst schreckliche«, sagte Arthur. »Noch schrecklicher als die in der letzten Woche – diese hier trägt einen Zauberpilz und einen Mantel aus vielen Fenstern.«

Ein ängstliches Seufzen wurde laut.

In diesem Augenblick flogen die beiden riesigen Türen am Ende des Saals auf, und Bauern schoben einen roh gezimmerten, quietschenden Karren herein. Ihr Sprecher, ein unrasierter Kerl im zerlumpten Wams, trat vor.

»Majestät«, schrie er, »seht die Hexe!«

Dabei deutete er schwungvoll auf einen einfachen Holzkäfig auf dem Karren. In dem Käfig saß eine rundliche Frau, die einen geschlossenen schwarzen Regenschirm in der Hand hielt und eine durchsichtige Regenhaut übergezogen hatte.

Emily Hollins strahlte die Versammlung an und schwenkte den Schirm, wobei sich das kaputte Scharnier wieder löste.

Der schwarze Regenschirm öffnete sich mit einem Ruck.

»Hoppla Thekla!« sagte Emily.

Die Ritter der Tafelrunde wichen erschrocken zurück, und einige Damen verbargen das Gesicht in den Händen oder duckten sich unter den Tisch.

»Mannomann«, sagte Henry und schluckte. Dann wandte er sich zu Merlin und flüsterte: »Das ist meine Mama.«

5

Sobald ihr klargeworden war, daß die Trachtengruppe den Karren zum Schloß schob, hatte Emily Hollins sich gefreut.

»Na, wenigstens kriege ich das Innere des sehenswürdigen Gebäudes zu sehen, selbst wenn ich nichts von dem köstlichen Gebäck zum Tee bekomme«, sagte sie sich. »Wahrscheinlich startet dort der Umzug.«

Als dann die ungeölten Karrenräder über die hölzerne Zugbrücke quietschten und unter dem Fallgitter knirschten, riß Emily erstaunt die Augen auf beim Anblick des riesigen kopflosen Drachen im Burghof. Sie nahm an, er gehöre irgendwie zum Umzug.

»Du meine Güte, ist das lebensecht!« murmelte sie. »Erstaunlich, was man alles mit ein wenig Plastik und ein paar Farbtöpfen machen kann!«

Und als sich dann die großen Doppeltüren öffneten und sie in die Halle von Camelot gekarrt wurde, staunte sie noch mehr über die Köstlichkeiten auf dem großen runden Tisch.

Da gab es eine gebratene Gans und ein Spanferkel und einen Eberkopf und Obst aller Art und gegrilltes Wild und ein paar große gekochte Schinken . . .

»Wenn das nicht besser ist als Tee und Gebäck«, sagte sie sich, »dann kenn ich mich nicht mehr aus!« Und sie lächelte den Leuten zu, die am Tisch saßen . . . noch mehr Kostümierte. Und sie winkte ihnen mit dem Schirm zu. »Hoppla Thekla«, sagte sie laut, als er aufsprang.

Ihr Blick fiel flüchtig auf einen kleinen Jungen, der auf der anderen Seite des Tisches saß und sie sehr an Henry erinnerte – nur trug er nicht Henrys Kleider. Und überhaupt, dachte sie, als sie den Schirm zusammenklappte, was sollte Henry hier? Nur um ganz sicherzugehen, daß er es nicht war, tastete sie in ihrer Handtasche nach der Brille. Doch bevor sie sie aufsetzen konnte, sprach eine strenge Stimme sie an.

»Aufstehn, Hexe!«

Emily betrachtete den würdig wirkenden Herrn, der gesprochen hatte. Er trug einen dichten Bart und eine goldene Krone. Die Krone, fand sie, sah sehr eindrucksvoll aus, auch wenn sie wahrscheinlich nur aus Pappe war. Ob das wohl Oberst a. D. Wentworth-Frobisher war, der Besitzer des ländlichen Herrenhauses? In diesem Fall war die Frau neben ihm, die ebenfalls eine Krone trug und Emily hochnäsig ansah, vermutlich Mrs. Alice Wentworth-Frobisher, die mit dem berühmten Teegebäck.

»Du hast Seine Majestät gehört, Weib!« sagte die Frau nicht unfreundlich. »Steh auf!«

Also wirklich! Was fiel denen ein, sie zu duzen und zu beschimpfen?

Emily kam der Gedanke, daß der Umzug vielleicht früher am Nachmittag stattgefunden hatte und daß jetzt die Teilnehmer das Ereignis feierten. Zweifellos hatten der Oberst und seine Frau ein Glas zuviel von dem Wein getrunken, der eingeschenkt wurde.

Einen Moment lang war Emily versucht, ihnen die Meinung zu sagen. Aber nein, überlegte sie dann. Immerhin war das ja ein Festtagsspaß. Die Leute vom Land vergnügten sich mit irgendeiner mittelalterlichen Aufführung, warum sollte sie ihnen die Freude verderben? Wenn sie das Spiel mitmachte, würde sie außerdem bestimmt an diesen überladenen Tisch gebeten zu den Leckerbissen, die ihr schon das Wasser im Mund zusammenlaufen ließen.

»Was soll mit ihr geschehen?« fragte der Mann mit der Krone.

»Tötet die Hexe!« rief jemand.

»Ja, tötet die Hexe!« Andere am Tisch nahmen den Ruf auf. »Allen Hexen den Tod!«

Entsetzt drehte sich Henry nach Merlin um. »Wir müssen etwas tun!« drängte er.

»Psst!« Der Zauberer legte einen Finger an die Lippen. »Im Moment können wir nicht eingreifen – wir müssen den richtigen Zeitpunkt abwarten.«

»Werft die Hexe in den Kerker«, sagte König Arthur. »Im Lauf der Woche machen wir ihr einen ordentlichen Prozeß, und dann kann sie mit der anderen Hexe, die wir gefangen haben, auf dem Scheiterhaufen sterben. Wir machen eine Doppel-Verbrennung.«

Zum Zeichen, daß sie den Plan ihres Herrschers guthießen, knallten die Ritter der Tafelrunde ihre Pokale auf den Tisch.

Henry kaute nervös an seiner Lippe. Merlin konnte ihm lang erzählen, er solle sich keine Sorgen machen, aber was konnte er sonst tun?

Emily selbst war weniger besorgt über ihre Lage als vielmehr ausgesprochen wütend. Statt sie zum Festmahl einzuladen, schleppte man sie weg.

»Und vergeßt nicht, dem alten Weib die magischen Talismane abzunehmen!« rief der König. »Den Mantel aus vielen Fenstern und den plötzlich aufschießenden Zauberpilz. Ohne sie ist die Hexe hilflos.«

»Moment mal!« rief Emily zurück und schlug mit dem geschlossenen Regenschirm an die Gitterstäbe des Käfigs. »Ein kleiner Witz ist ja schön und gut, aber meint ihr nicht, das hier geht . . .«

Der Rest war nicht mehr zu verstehen, denn der Karren wurde wieder durch die großen Holztüren hinausgeschoben, die hinter ihm zuschlugen.

Merlin flüsterte Henry zu: »Sie muß die Nacht im Verlies verbringen, Junge. Morgen denken wir uns einen Plan zu ihrer Rettung aus.«

König Arthur schaute scharf herüber. »Um welchen Plan geht es?« fragte er. »Was hast du morgen vor?«

»Nichts, Majestät«, antwortete Merlin nervös. »Überhaupt keine Pläne.«

»Gut. Ausgezeichnet!« König Arthur leerte seinen vierten Pokal mit schwerem, rotem Wein. Seine Wangen glühten, und seine Augen glänzten. »Morgen werde ich nämlich deine Dienste beanspruchen, Meister Merlin!«

»Meine, Majestät?« Merlins Bart zitterte nervös.

»Ja! Wenn wir das Böse schlagen wollen, brauchen wir so viel magische Hilfe, wie wir nur bekommen können. Bei Morgengrauen brechen wir auf!«

Die Ritter der Tafelrunde, die ebenfalls mehr als genug getrunken hatten, jubelten und stampften mit den Füßen. Die Damen nahmen die Neuigkeit kühler auf, einige von ihnen runzelten die Stirn.

»Und wozu brechen wir auf, Arthur?« fragte Bedivere. »Erschlagen wir wieder einen fürchterlichen Drachen?«

Königin Ginevra warf ihrem Gemahl einen scharfen Blick zu. »Nicht noch einen toten Drachen«, stöhnte sie. »Manchmal meine ich, Merlin hat recht – was willst du denn tun, wenn alle Drachen im Land erschlagen sind?«

»Die einäugigen Riesen jagen!« rief ein Ritter.

»Alle Ungeheuer mit zwei Köpfen vernichten!« schrie ein anderer.

»Warum suchen wir nicht mal wieder den Heiligen Gral?« schlug Lancelot vor, der vornehmste aller Ritter.

»Ehrlich gesagt, ich habe genug von der Suche nach dem Heiligen Gral«, sagte Arthur und strich seinen Bart. »Ich finde, so langsam ist das die reinste Zeitvergeudung.« Er machte eine Pause, schaute sich in der Halle um und überlegte angestrengt. In der Tafelrunde herrschte absolute Stille; die Ritter warteten gespannt darauf, daß der König weitersprach. »Warum«, sagte er schließlich, »überlassen wir uns nicht einfach dem Abenteuer und greifen jeden bösen Feind an, der es wagt, unseren Pfad zu kreuzen?«

Da jubelten die Ritter der Tafelrunde wieder und tranken noch mehr Rotwein auf diesen Vorschlag.

Gerade jetzt trat der Kerkermeister ein. Er war ein kleiner, untersetzter Mann mit dicken Muskelpaketen.

Seine dunklen Augen spähten aus einer schwarzen Kappenmaske, die auch Ohren und Nase bedeckte. Er trug zwei Gegenstände, die er vor Arthur hinlegte. Der eine war Emilys zusammengelegte durchsichtige Regenhaut. Der andere war ihr geschlossener Regenschirm.

Arthur stand schwankend auf, nahm Schirm und Regenhaut und hielt sie hoch über den Kopf.

»Diese magischen Talismane werden uns unbesiegbar machen!« rief er. »Wer uns zu trotzen wagt – geflügeltes Untier oder böser Geist, soll niedergestochen werden!«

Die Ritter der Tafelrunde sprangen auf und klatschten ihrem Herrscher lange und laut Beifall.

In dem Lärm flüsterte Königin Ginevra ihrem Gemahl zu: »Und vergiß nicht, was ich gesagt habe, Arthur – keine Drachen mehr!«

Ihre Blicke wanderten über die vielen starräugigen Drachenköpfe an den Wänden. »Manchmal denke ich, wir Frauen würden manches viel besser machen als ihr Männer! Teppiche an den Wänden wären viel hübscher!«

»Wie lange bleiben Sie weg?« fragte Henry leise und besorgt den Zauberer.

Merlin schüttelte den Kopf. »Wer weiß? Wenn Arthur und die Ritter der Tafelrunde zu einem ihrer Abenteuer ausziehen, zählt die Zeit nicht.«

»Aber wie lange ungefähr?«

»Vielleicht einen Tag, vielleicht eine Woche – vielleicht ein Jahr.«

»Ein ganzes Jahr!« stieß Henry hervor.

»Wenn Arthur und seine Ritter weg sind, hast du wenigstens eine Chance, deine Mutter aus dem Kerker zu befreien«, flüsterte der Zauberer.

»Wie?«

»Dir fällt schon was ein, da bin ich sicher«, antwortete Merlin ohne Überzeugungskraft.

»Ich kann mir nicht denken, was. Und selbst wenn, kämen wir ohne Ihre Hilfe nicht zurück nach Cockleton-am-Meer.«

»Mach dir keine Sorgen. Vielleicht bin ich gar nicht so lange weg.«

Aber Henry machte sich Sorgen.

Emily brauchte ein Weile, bis sich ihre Augen an das Dunkel im Kerker gewöhnt hatten. Sie hatte schon eine Zeitlang gebraucht, um über die Grobheit des Schwarzmaskierten hinwegzukommen, der ihr den Schirm aus der Hand und die Regenhaut vom Rücken gerissen hatte. Ganz zu schweigen von der Art, wie er sie eine lange Steintreppe hinuntergestoßen, durch einen feuchten, von Fackeln erleuchteten Gang gezerrt und sie dann roh durch die Tür ihres gegenwärtigen, kalten Quartiers geschoben hatte.

Wenn sie alles bedachte, was ihr an diesem Nachmittag und Abend zugestoßen war, dann kam Emily Hollins allmählich zu dem Schluß, daß hinter ihrer gegenwärtigen Lage mehr steckte, als sie angenommen hatte. Diese seltsamen Ereignisse, fand sie jetzt, mußten andere Ursachen haben als einen Kostümumzug oder ein einfaches ländliches Fest.

Sie mußte sich ruhig hinsetzen und nachdenken. Durch das Guckloch in der Tür drang gerade so viel Licht, daß Emily etwa zwei Meter strohbedeckten Steinboden vor sich erkennen konnte. Aber es war ihr unmöglich, die Größe ihres Gefängnisses zu schätzen oder die Schrecken, Gefahren oder Kriechtiere zu ahnen, die im Dunkel lauern mochten.

Immer eins nach dem andern, dachte sie und schob so viel Stroh zusammen, daß sie bequem darauf sitzen konnte. Dann konzentrierte sie sich auf ihre Lage ...

»Entschuldigung, meine Liebe?«

Die Stimme, die Emilys Gedanken unterbrach, kam aus dem Dunkel auf der anderen Seite des Verlieses. Die Tatsache, daß sie nicht allein war, wirkte wie ein Schock auf Emily, und sie fuhr hoch.

»Tut mir leid, wenn ich Sie erschreckt habe«, sagte die Stimme, »aber könnten Sie mir vielleicht sagen, welche Zeit wir haben?«

Emily spähte angestrengt ins Dunkle und erkannte mühsam die Gestalt einer jungen Frau, die ihr gegenüber auf dem Boden saß. Dann schaute sie auf die Armbanduhr mit dem Leuchtzifferblatt, die ihr Albert erst letztes Jahr zum Geburtstag geschenkt hatte. Wie weit weg Albert jetzt war! »Es ist zwanzig nach acht«, sagte sie.

»Nein, Sie verstehen nicht, was ich meine«, sagte die junge Frau.

Sie stand auf und kam zu Emily herüber. Sie war hübsch und jung, mit lockigem goldenem Haar, und – Emily sah es erleichtert – sie trug kein Kostüm. Oder doch? Die junge Frau trug zwar kein historisches Kostüm wie alle anderen, denen Emily begegnet war, aber sie war auch nicht gerade normal gekleidet. Ihr kurzes, rüschenbesetztes Kleid war über und über mit roten und goldenen Münzen bedeckt.

»Ich meine nicht, wieviel Uhr es ist«, sagte die junge Frau, »ich meine, welche Zeit haben wir?«

Verwirrt schaute Emily wieder auf die Uhr. »Also«, sagte sie, »vielleicht geht sie fünf Minuten vor, aber . . .«

Die junge Frau schüttelte den Kopf, daß ihre goldenen Haare auf den nackten Schultern tanzten. »Ich meine, welche Zeit im historischen Sinn? In welcher Epoche sind wir?«

Emily zögerte. »Na – irgendwie jetzt, oder?«

»Oder nicht?«

»Heute morgen beim Aufstehen war es noch so«, sagte Emily zweifelnd, »im Wohnwagen hängt nämlich ein Kalender, und ich weiß, daß ich draufgeschaut habe, und . . .« Sie schwieg. So viel war geschehen, seit sie aufgestanden war, daß es ihr vorkam, als sei der Morgen tausend Jahre her. Vielleicht noch länger . . . »In welcher Epoche sind wir denn, glauben Sie?« fragte Emily.

Die junge Frau schüttelte den Kopf und beantwortete die Frage nicht. »Sind Sie vielleicht in eine große schwarze Kiste im Theater am Südkai in Cockleton-am-Meer gestiegen?«

Emily nickte aufgeregt. Sie hatte etwas mit der jungen Frau gemeinsam. Fast hatte sie das magische Kabinett vergessen. Plötzlich wurde ihr klar, daß es etwas mit ihrer gegenwärtigen Lage zu tun haben mußte.

»Dann sitzen wir beide im selben Boot«, sagte die junge Frau. »Gestatten Sie, daß ich mich vorstelle. Ich bin die Große Alma.«

»Moment mal!« Bei dem Namen klingelte etwas in Emilys Gedächtnis. »Jetzt weiß ich's! Sie sind die Schwertschluckerin, die letzte Woche im Theater aufgetreten ist!«

Die Große Alma nickte. »Ich schlucke auch Feuer«, sagte sie.

»Diese Woche hätten Sie auch auftreten sollen«, sagte Emily, »aber Sie hatten Halsweh.«

Die Große Alma lächelte wehmütig. »Ich hatte tatsächlich ein bißchen Halsweh. Aber das hätte mich nicht abgehalten. Auf keinen Fall. Ich habe immer ein wenig Halsweh. Alle Schwertschlucker haben das.«

»Kann ich mir vorstellen«, sagte Emily voll Mitgefühl.

»Du meine Güte«, sagte die Große Alma, »wenn ich nur wegen einer Kleinigkeit wie Halsweh nicht auf die Bühne ginge, würde ich nie auftreten!«

»Was ist denn mit Ihnen passiert?« Emily klopfte auf das Stroh, das sie zu einem Kissen gehäuft hatte. »Setzen Sie sich doch zu mir und erzählen Sie!«

Die Große Alma seufzte. »Viel gibt es da nicht zu erzählen.« Sie nahm Emilys Einladung an und setzte sich zu ihr aufs Stroh. »Es war nach der Samstagabend-Vorstellung. Ich saß in meiner Garderobe. Alle anderen waren nach Hause gegangen. Gerade hatte ich zwei Teelöffel Halsbalsam eingenommen, da fiel mir ein, daß ich ein Schwert auf der Bühne vergessen hatte. Ich wollte es holen – es war ziemlich dunkel, und keine Menschenseele war in der Nähe –, und siehe da, in einer Ecke steht diese komische, große, schwarze Kiste. Ein bißchen neugierig bin ich immer schon gewesen. Ich konnte einfach nicht widerstehen, ich mußte reinschauen. Aber sobald ich drin war, schlug die Tür hinter mir zu. Ich kam nicht mehr raus. Und dann bin ich durch diesen langen, dunklen Tunnel gegangen . . .«

»Mehr brauchen Sie mir nicht zu erzählen«, unterbrach Emily sie. »Den Rest der Geschichte kenne ich.«

»Meiner Meinung nach handelt es sich um eine Art Zeittunnel«, sagte die Große Alma.

»Um alles in der Welt!« rief Emily.

Die Große Alma nickte überzeugt. »Ich glaube, wir sind in die Geschichte zurückversetzt worden.«

»Was denen aber auch alles einfällt!« sagte Emily verwundert.

Die Große Alma runzelte die Stirn. »Aber jetzt müssen Sie erzählen! Wie sind Sie in die magische Kiste geraten?«

Emily berichtete von dem Zauberer und ihrer Suche nach Henry.

»Dann ist Ihr kleiner Junge auch in die Vergangenheit gegangen?« sagte die Große Alma. »Der arme kleine Kerl! Er wird sich fragen, was da bloß passiert ist!«

»Bestimmt«, sagte Emily.

»Für Sie ist das sehr beunruhigend.«

»Ja. Obwohl ich sagen muß«, Emily wurde wieder etwas munterer, »daß er im allgemeinen gut zurechtkommt.«

»Dafür können Sie dankbar sein.«

»Jetzt fällt mir wieder ein«, sagte Emily nachdenklich, »daß ich bei einem Festessen droben einen kleinen Jungen gesehen habe, der Henry sehr ähnlich war. Ich habe nicht weiter auf ihn geachtet, weil es so unwahrscheinlich schien, aber wo alle diese sonderbaren Dinge passieren . . .«

Eine Luke unten an der Tür flog auf, und zwei Holzteller mit Essen wurden in den Kerker geschoben.

Die Große Alma hob einen auf, betrachtete wehmütig den Inhalt und reichte ihn Emily. »Wir wollen hoffen, daß es wirklich Ihr kleiner Junge war«, sagte sie, »denn wenn er bei einem Festessen ist, dann geht es ihm jedenfalls besser als uns.«

»Du meine Güte!« Emily rümpfte die Nase. »Was um alles in der Welt soll das denn sein?«

»Überbleibsel und Reste«, sagte die Große Alma traurig.

»Ist das alles, was wir kriegen?« fragte Emily schokkiert.

»Alles«, sagte die Große Alma, »was ich seit Tagen bekommen habe.«

»Nur Mut!« sagte Emily. »Ein Beinbruch ist schlimmer. Außerdem, je länger ich drüber nachdenke, um so mehr glaube ich, daß es tatsächlich unser Henry war, den ich oben gesehen habe. Und wenn er mich gesehen hat – er mußte mich sehen –, dann setzt er sich nicht hin und dreht Däumchen. Er wird sich was ausdenken.«

»Ich hoffe nur, Sie haben recht«, sagte die Große Alma. »Denn wenn er uns hier nicht heraushilft, dann weiß ich nicht, wer es sonst tun könnte.«

»Er macht es bestimmt.« Emily lächelte aufmunternd und schaute auf ihre Uhr. »Allerdings muß er jetzt bald ins Bett, also müssen wir wahrscheinlich bis morgen warten. Am besten ruhen wir uns selber auch aus. Denn wenn wir von hier fliehen wollen, brauchen wir alle unsere Kräfte.« Sie kuschelte sich ins Stroh.

»Ich glaube, ich bin gleich eingeschlafen, trotz allem – es war ein ereignisreicher Tag.«

Doch die Große Alma schien jetzt noch nicht schlafen zu wollen. Nachdem sie die letzten Krümel von ihrem Teller verzehrt hatte, betrachtete sie neidisch Emilys unberührte Mahlzeit. »Wollen Sie nicht vorher zu Abend essen?«

Emily verzog das Gesicht. »Ich habe mir noch nie viel aus Resten gemacht.«

»Hoffentlich halten Sie mich nicht für gierig«, sagte die Große Alma, »aber würde es Ihnen was ausmachen, wenn ich es essen würde – statt es verderben zu lassen?«

»Natürlich nicht. Greifen Sie zu.«

Die Große Alma verschlang hungrig das, was auf dem zweiten Teller war. »Es ist schon so lange her, daß ich eine ordentliche Mahlzeit hatte.«

»Kampf dem Verderb«, sagte Emily. »Ich will sowieso ein bißchen abspecken. Außerdem habe ich ausgiebig im Café am Pier zu Mittag gegessen, bevor wir ins Theater gingen.«

»Das kenne ich!« sagte die Große Alma ganz aufgeregt. »An der Wand hängen Fischernetze und Krebse aus Plastik! Was haben Sie gegessen?«

»Also, das war ... Gefüllter Schweinebraten mit Kruste und Kartoffelbrei; Gemüse nach Wunsch und hinterher Himbeerpudding mit Vanillesauce ...« Emily hörte auf, als sie die Träne sah, die der Großen Alma aus dem Augenwinkel quoll. Sie hätte sich die Zunge abbeißen können wegen ihrer Taktlosigkeit. »Weinen Sie nicht, Liebes«, sagte sie leise. »Henry holt uns sicher hier raus. Morgen sieht alles ganz anders aus, warten Sie's nur ab ...«

6

Das aufreizende Klappern von Pferdehufen auf Pflastersteinen durchbrach die frühmorgendliche Stille. In der Ferne krähte ein Hahn, auf einer Brüstung putzte eine alte schwarze Krähe ihr Gefieder. Die zwei weißen Schwäne aus dem Burggraben watschelten auf der Suche nach Küchenabfällen in den Schloßhof. Ein grauhaariger Posten auf einem Wachturm gähnte und kratzte sich in der Achselhöhle.

König Arthur zog ungeduldig die Zügel seines Schlachtrosses und zählte zum x-tenmal die Männer zu Pferde. Mit ihm waren es nur vier – Lancelot, Bedivere und Merlin. Wie ihr Herrscher saßen die beiden Ritter der Tafelrunde auf prächtig aufgeputzten Rössern. Der Zauberer hatte sich auf ein altes Streitroß namens Cerebus geschwungen, das für diesen Zweck aus dem Ruhestand geholt worden war.

Das tapfere alte Pferd hatte die schwerverdiente Ruhe genossen und nahm es übel, wieder in den Dienst gezwungen zu werden. Schon zweimal hatte es erfolglos versucht, Merlin abzuwerfen. Der Zauberer hatte die düstere Vorahnung, daß es bei diesen beiden Versuchen nicht bleiben würde.

Die ersten Sonnenstrahlen krochen über die zinnenbewehrten Mauern in den Schloßhof und funkelten auf den blanken Rüstungen der Ritter.

König Arthur hatte den Helm mit dem Federbusch aufgesetzt, ansonsten aber auf seine Rüstung verzichtet. Er trug Emilys durchsichtige Regenhaut. Als er sich früh am Morgen angekleidet hatte, war ihm rasch klargeworden, daß der geheimnisvolle Mantel aus vielen Fenstern nicht über die Rüstung passen würde. Und sicher bot er ihm viel wirkungsvolleren Schutz als geschmiedetes Metall.

Dazu kamen noch die Kräfte des magischen Pilzes. Der defekte Verschluß hatte an diesem Morgen wieder einen seiner Streiche gespielt, und der Schirm war aufgeflogen, als Arthur nach ihm griff. Jetzt gab der Schirm ihm Schatten, und Arthur war davon überzeugt, daß alle bösen Geister von ihm abgewehrt wurden.

Stirnrunzelnd starrte der König unter dem Schirm auf seine beiden Ritter und den Hofzauberer. »Bist du sicher, Merlin, daß heute morgen nicht mehr von meinen Rittern der Tafelrunde unterwegs sind?« fragte er.

»Ganz sicher, Majestät«, antwortete der Zauberer und bemühte sich, den Halt nicht zu verlieren, denn das alte Streitroß schlug wieder mit den Hinterbeinen aus.

Arthur machte ein verdrießliches Gesicht. Es war wirklich sehr enttäuschend. Er hatte mit einem viel größeren Aufgebot gerechnet.

Gestern abend in der großen Halle, im warmen Schein des Kaminfeuers und angeheizt von kameradschaftlichen Gefühlen und schwerem Rotwein, hatte ihm die gesamte Tafelrunde unerschütterliche Treue geschworen. Sie hatte ihm zuverlässig ihre Absicht erklärt, ihn auf seinem Abenteuer zu begleiten – gleichgültig, in welche Gefahren er sie führen mochte.

Doch im frostigen grauen Licht des frühen Morgens erschien die Aussicht auf rauhe Abenteuer nicht halb so verlockend. Einige Ritter der Tafelrunde waren fröstelnd tiefer unter ihre Schaffelldecke gekrochen und hatten getan, als hätten sie den ersten Hahnenschrei nicht gehört; andere lagen stöhnend und ächzend im Bett und gaben vor, krank zu sein.

Was Arthur betraf, so war das alles höchst unbefriedigend. »Also? Worauf warten wir?« knurrte er ungeduldig seine Gefährten an.

»Befehlt, ich bin willig und bereit, mein Lehnsherr!« sagte Lancelot; die Sonne funkelte auf seiner Rüstung.

»Euch zu Diensten bis zum Tod, Sire!« sagte Bedivere und packte seine Lanze fester.

»Und was ist mit dir, Merlin?« Arthur schaute mißtrauisch den alten Zauberer an, der mit offenem Mund in die Gegend sah. »Was sitzt du da und fängst Fliegen?«

»Ich warte nur auf meinen Assistenten, Majestät«, sagte Merlin. Er hatte Henry heute morgen noch nicht zu Gesicht bekommen und fragte sich, was mit dem Jungen geschehen sein könnte. »Ich habe ihn nach einem magischen Gebräu zum Schutze Eurer Majestät geschickt. Ich meine, es wäre töricht, ohne das Mittel in ein gefährliches Unternehmen zu ziehen.«

»Hoffentlich nicht das stinkende grüne Zeug, mit dem du mich seit Wochen eingerieben hast?« fragte Arthur gereizt. »Den ranzigen Schleim, der gegen alles helfen soll, von Warzen und Geschwüren bis zu Wunden?«

Merlin zuckte nervös zusammen, antwortete aber nicht.

»Mann, wir haben schon alle Zauber, die wir brauchen!« fuhr Arthur ihn an. Er schwenkte Emilys Schirm in der Luft und straffte die Schulter unter der Regenhaut. »Und warum braucht der Knabe so lang, bis er dieses magische Gebräu bringt?«

»Ich habe keine Ahnung, Majestät.« Merlin wollte aus dem Sattel rutschen. »Ich gehe und ... Uuhhoppla!«

Schuld an Merlins Überraschungsschrei war Cerebus, der es ausnützte, daß der Alte abgelenkt worden war. Er hob sich plötzlich auf die Hinterbeine. Der Trick funktionierte. Merlin griff in die Luft und landete hart mit dem Hinterteil auf den Pflastersteinen.

»Au!« sagte Merlin erschrocken. »Das tut weh!«

»Steh auf, du alte Ziege«, fauchte König Arthur.

»Ich glaube, ich habe mich verletzt.« Der Zauberer rieb sich vorsichtig den Rücken.

»Gut, ich bin froh, das zu hören!« In König Arthurs Ton lag mehr als ein Hauch von Spott. »Du kannst dich mit dem stinkenden grünen Zeug einreiben – höchste Zeit, daß du deine eigene Medizin mal ausprobierst.«

Sir Bedivere grinste.

König Arthur schaute sich um. »Wo steckt bloß dieser Knabe?« sagte er und brüllte dann: »Knabe! KNABE!«

Arthurs Schrei scholl durch den Hof und scheuchte die alte Krähe von der Brüstung auf. Sie schlug mit den Flügeln und flog mit einem anklagenden »Koh!« davon.

In seinem Versteck am Fuß der Kellertreppe, die ins Schloßverlies führte, kaute Henry Hollins an der Unterlippe. Er hörte, wie König Arthur ihn rief.

Vor dem Morgengrauen, als das Schloß noch im Schlaf lag, hatte er sich davongeschlichen. Er hoffte, daß er mit seiner Mutter durch die Kerkertür reden könnte. Aber als er am Fuß der Treppe angekommen war, stellte er fest, daß nicht nur er um diese Stunde wach war. Der Kerkermeister mit der schwarzen Maske saß mit weit offenen Augen bewegungslos am Ende des Ganges und hielt im Schein der Binsenlichter Nachtwache.

Über eine Stunde lang, so kam es Henry vor, hatte der Kerkermeister keinen Muskel bewegt. Und gerade jetzt, wo der Mann gähnte und den Kopf auf die Brust sinken ließ, scholl König Arthurs Stimme bis ins Verlies herunter.

»Knabe! KNABE!«

Und der Kerkermeister hatte es auch gehört, denn sein Kopf schnellte hoch, und er schüttelte die Müdigkeit ab.

»Wo bist du, Knabe? Zeige dich!« brüllte Arthur droben.

Henry stieß einen schweren Seufzer aus. Jetzt gab es keine Möglichkeit, ein paar Worte mit seiner Mutter zu wechseln. Traurig drehte er sich um und stieg die ausgetretenen Steinstufen der Treppe hinauf.

»Was hast du dort unten getrieben, Knabe?« fuhr Arthur ihn an, als Henry aus dem Dunkel in das blendende Tageslicht trat.

»Ich . . . ich habe mich verlaufen«, sagte Henry und blinzelte in die Morgensonne.

Er sah, daß Merlin auf dem Pflaster saß und unglücklich aussah. Arthur, Lancelot und Bedivere umkreisten ihn auf ihren Pferden. Henry lief hin und half dem alten Zauberer auf die Beine.

»Was ist passiert?«

»Das häßliche Scheusal hat mich abgeworfen«, sagte Merlin und verzog das Gesicht beim Versuch, seine schmerzenden Gelenke zu bewegen.

»Unsinn!« sagte Arthur. »Der alte Dummkopf ist vom Pferd gefallen. Offenbar erlaubt ihm sein Zustand nicht, uns auf unserem Abenteuer zu begleiten. Du mußt an seiner Stelle mitkommen.«

»A-a-aber . . .«, stotterte Henry.

»Kein Aber, Knabe!« sagte der König streng. »Steig auf das Pferd dort. Wenn ich schon keinen Zauberer mitnehmen kann, dann wenigstens einen Zauberlehrling.«

»Tu lieber, was er sagt, Junge«, murmelte Merlin, dem anscheinend von Kopf bis Fuß alles weh tat.

»Und meine Mama?« flüsterte Henry drängend. »Ich gehe nur mit König Arthur, wenn Sie mir versprechen, sie aus dem Kerker zu befreien, sobald wir weg sind.«

»Mach ich, mach ich. Nur tu bitte, was er sagt, sonst schöpft er Verdacht, daß wir etwas vorhaben.«

»Was habt ihr zwei da zu flüstern?« fragte Arthur wie zur Bestätigung.

»Nichts, Majestät.« Merlin verbeugte sich tief. »Ich habe dem Knaben nur geraten, wie er mit dem Pferd umgehen soll.«

»Wenn er da deinem Rat folgt«, knurrte Arthur, »wird er auf dem Hintern landen, genau wie du!«

Sir Bedivere lachte laut, und selbst der vornehme Lancelot unterdrückte nur mühsam ein Lächeln.

Henry kletterte auf Cerebus' breiten Rücken.

Es zischte, als Arthur das edelsteinbesetzte Schwert Excalibur aus der Scheide zog. Dreimal schwenkte er es über seinem Kopf, daß die breite Klinge in der Sonne funkelte.

»Auf Rittertum und Abenteuer!« rief der König und gab seinem Roß die Sporen.

»Auf Rittertum und Abenteuer!« wiederholten Bedivere und Lancelot. Die Hufe ihrer Pferde klapperten über das Pflaster, als sie Arthur nachsprengten.

»Hottehüh!« sagte Henry.

Cerebus schüttelte den Kopf, schnaubte und blieb, wo er war.

Das alte Streitroß hatte seinen eigenen Kopf und überdachte die Lage ein paar Sekunden. Wenn es schon zum Dienst gezwungen wurde, machte es sicher mehr Spaß, mit diesem Jungen auf dem Rücken übers Land zu galoppieren, als das Gewicht eines erwachsenen Mannes zu tragen ...

»Hottehüh!« sagte Henry wieder.

Oh, na gut. Das Streitroß bäumte sich auf und setzte in einem plötzlichen Galopp den drei Pferden nach.

Henry fiel durch den unerwarteten Start fast runter, doch er schaffte es, oben zu bleiben. Er schaffte es auch, den Kopf umzudrehen und der einsamen Gestalt im Schloßhof zuzurufen: »Sie denken dran, nicht wahr, Merlin?«

»Ich denke dran!«

Und dann sprengte Cerebus mit seinem Reiter unter dem Fallgitter durch und ließ den alten Zauberer allein im Hof zurück.

Merlin rieb sein schmerzendes Hinterteil. Plötzlich ließ er die Schultern hängen und stieß einen langen Seufzer aus. Er fühlte sich nicht sehr wohl. Seine alten Knochen taten ihm scheußlich weh. Er wunderte sich, daß er keinen bleibenden Schaden davongetragen hatte. Auf trockenem Pflaster wäre der Sturz nicht so unangenehm gewesen, aber die Steine waren noch feucht vom Tau.

»Hatschiii!«

Bestimmt hatte er sich eine Erkältung geholt. Er war auch viel zu alt, um zu dieser frühen Stunde unterwegs zu sein. Was er am nötigsten brauchte, war etwas Heißes zum Trinken, außerdem mußte er seinen Schlaf nachholen. Er hinkte aus dem Hof und machte sich auf den Weg zu seiner Höhle.

Während er so dahinhinkte, runzelte der alte Zauberer die Stirn. Irgendwas beunruhigte ihn. Er wurde allmählich so alt, sagte er sich, daß sein Gedächtnis ihn im Stich ließ. Der Junge hatte ihn doch gebeten, an etwas zu denken – woran nur? Es fiel ihm einfach nicht ein. Na ja, wahrscheinlich war es nichts Wichtiges . . .

In den feuchten dunklen Tiefen des Verlieses hatte Emily Hollins das Hufgetrommel der Pferde auf der Zugbrücke gehört.

Sie fragte sich, was wohl geschehen war.

Die Große Alma hatte ihren Kopf in Emilys Schoß gelegt und schlief wie ein Baby. Doch Emily hatte keinen Schlaf gefunden und die ganze Nacht über nachgedacht.

Die unmittelbaren Aussichten, das mußte sie zugeben, schienen nicht allzu rosig. Henry war ihre einzige Hoffnung. Aber war es auch wirklich Henry gewesen, den sie an der Festtafel gesehen hatte? Und selbst wenn er es gewesen war – konnte sie sicher sein, daß er seine Mutter durch das Käfiggitter erkannt hatte? Und selbst wenn er es gewesen war und wenn er ihre Zwangslage bemerkt hatte – konnte sie ganz sicher sein, daß er ihr zu Hilfe kommen könnte?

Gestern abend hatte sie ihrer jungen Gefährtin, die jetzt so tief schlief, Mut zugesprochen. Doch im tiefsten Herzen war Emily nicht halb so zuversichtlich, wie sie vorgegeben hatte.

Und angenommen, Henry war jetzt irgendwo im Schloß gefangen, genau wie sie? Immerhin war sie seine Mutter. Sie hatte die Pflicht, ihm zu Hilfe zu kommen, statt hier zu sitzen und Trübsal zu blasen und auf seine Hilfe zu hoffen.

Was Emily schließlich schlagartig aktiv werden ließ, war ein Rascheln im Stroh. Es kam aus der dunkelsten Ecke des Verlieses. Wahrscheinlich eine Maus, sagte sie sich. Das erschreckte sie nicht, denn vor Mäusen fürchtete Emily Hollins sich nicht. Doch angenommen, es war – eine Ratte? Emily schluckte und schauderte. Ratten waren ganz andere Nagetiere.

Sie faßte einen Entschluß und schüttelte die Große Alma leicht. »Wachen Sie auf, meine Liebe.«

Die Große Alma blinzelte und schlug die Augen auf. »Was ist los? Was ist passiert?«

»Noch nichts«, sagte Emily beruhigend. »Aber ich finde, wir sollten uns nicht darauf verlassen, daß Henry uns aus dem Schlamassel holt. Wir sollten die Sache selbst in Angriff nehmen.«

Die Große Alma runzelte die Stirn. »Das ist leichter gesagt als getan. Die Tür ist fest verriegelt. Ich bin seit Freitag abend da, und sie ist kein einziges Mal geöffnet worden.«

Emily stand auf und spähte sehr vorsichtig durch das vergitterte Guckloch in der Tür. Der Kerkermeister mit der schwarzen Maske saß im Gang und kratzte sich nachdenklich mit der rechten Hand in der linken Achselhöhle.

»Wenn wir die Tür nicht aufmachen können«, sagte Emily zur Großen Alma, »müssen wir den fröhlichen Philipp da draußen dazu kriegen, daß er es tut.«

»Aber wie?«

Emily dachte kurz über das Problem nach und öffnete dann ihre vollgestopfte Handtasche. »Von meiner Regenhaut und diesem alten Schirm waren alle ganz begeistert«, sagte sie. »Möglicherweise ist hier was drin, das ihm gefällt.« Und Emily wühlte in ihrer Tasche.

Draußen im Gang, wo die Binsenlichter brannten, hatte der Kerkermeister Hand und Achselhöhle gewechselt und kratzte sich jetzt nachdenklich mit der linken Hand unter dem rechten Arm.

»Entschuldigen Sie, hätten Sie eine Sekunde Zeit?« Emilys lächelndes Gesicht tauchte am Guckloch auf.

Der Kerkermeister, der Ulrich der Unterdrücker hieß, schaute zu Emily hinauf und machte ein finsteres Gesicht. »Es gibt nichts zu essen«, sagte er und kratzte sich jetzt mit beiden Händen den riesigen Bauch. »Für euch Gefangene gibt es erst wieder Küchenabfälle, wenn die Hunde was übriggelassen haben.«

»Ich will nichts zu essen«, sagte Emily. »Danke vielmals.«

Ulrich der Unterdrücker blinzelte und zog die Stirn in Falten. Das war die erste Gefangene, die er je in seinem Gewahrsam hatte, die nichts zu essen wollte. »Oh?« sagte er. »Was willst du dann?«

Emily lächelte noch freundlicher. »Ich will gar nichts, aber trotzdem danke schön.«

»Warum belästigst du mich dann?«

»Ich will Ihnen was zeigen.«

»Wenn das ein fauler Trick ist . . .?«

»Es ist kein Trick. Kommen Sie und sehen Sie selbst.«

Ulrich der Unterdrücker stand schwerfällig auf und ging zur Kerkertür.

»Da«, sagte Emily.

Ulrich schaute in die Richtung, in die Emily deutete. Er sperrte den Mund auf, und seine Augen wurden groß vor Überraschung. Ein seltsames helles Licht tanzte geheimnisvoll in der dunkelsten Ecke des Verlieses. Ulrich der Unterdrücker leckte seine trockenen Lippen. Es war das Wunderbarste, was er je in seinem Leben gesehen hatte. Nicht, daß es da viel Wunderbares gegeben hatte.

In Wahrheit war Ulrich der Unterdrücker fast ebenso im Keller gefangen wie seine Häftlinge. Er war vierundzwanzig Stunden am Tag im Dienst und arbeitete sieben Tage in der Woche. Nur selten wurde ihm erlaubt, aus dem Kerker ans Tageslicht und an die gute frische Luft zu gehen. So selten, daß er sich nur an eine Gelegenheit erinnern konnte . . .

Es war vor vielen Jahren gewesen, an dem Tag, an dem Arthur den Thron bestiegen hatte: ein allgemeiner Feiertag. Ulrich war damals noch ein Junge und arbeitete als Lehrling bei seinem Vater Georg dem Grausamen. Der Mann und der Junge waren aus dem Verlies in den Schloßhof gestiegen. Ulrich wußte noch heute, wie blau der Himmel und wie weiß die Wolken gewesen waren und wie warm die Sonne sein Gesicht beschien. Damals hatte er tanzende Lichter gesehen: Die Sonnenstrahlen waren auf die Wasserlilienblätter im Burggraben gefallen und hatten auch zwischen den raschelnden grünen und goldenen Blättern an den Bäumen geglänzt. Es war der glücklichste Tag im Leben von Ulrich dem Unterdrücker gewesen . . .

Traurig und sehnsüchtig schaute der Kerkermeister durch das Gitter am Guckloch auf das tanzende Licht.

»Was ist das?« fragte Ulrich leise.

»Ich weiß es nicht«, sagte Emily.

Emily sagte nicht die Wahrheit. Das Licht kam von der winzigen Taschenlampe an ihrem Schlüsselring, der unten in ihrer Tasche gelegen hatte. Es tanzte jetzt, weil die Große Alma die Taschenlampe in der hintersten, dunkelsten Ecke des Verlieses schwenkte. Emily hatte gehofft, das Licht würde dem Kerkermeister gefallen, aber wieviel es ihm bedeutete, hatte sie nicht ahnen können.

»Ich will es haben«, sagte Ulrich der Unterdrücker.

»Kommen Sie herein und holen Sie es«, sagte Emily. »Es gehört Ihnen.«

Das Licht bewegte sich nicht mehr. Die Große Alma hatte die Taschenlampe auf ein Sims gelegt und war zu Emily an die Zellentür gekommen.

Ulrich der Unterdrücker zog den Riegel an der Tür zurück und trat ins Verlies. Der Lichtpunkt schien in der Luft zu hängen und ihn aufreizend einzuladen, herüberzukommen und ihn aus der Dunkelheit zu holen.

»Kann ich es behalten?« fragte er.

»Warum nicht – wenn Sie es fangen können«, antwortete Emily. »Aber wenn ich Sie wäre, würde ich mich nicht draufstürzen. Sie könnten es leicht verscheuchen.«

Ulrich der Unterdrücker nickte. Die Warnung der Hexe klang vernünftig. Ganz langsam und auf Zehenspitzen ging er über den Steinboden. Als der Kerkermeister eine zitternde Hand ausstreckte und das Licht ergriff, schlüpften Emily und die Große Alma durch die offene Tür. Sie liefen den Gang entlang und die ausgetretenen Steinstufen hinauf, die in die Freiheit führten.

Der Kerkermeister merkte noch nicht einmal, daß sie verschwunden waren. Er kauerte sich auf den Boden, summte leise vor sich hin und hielt in einer Hand das kleine helle Licht, das er mit der anderen streichelte.

Und dann geschah das Unglück.

Als der Kerkermeister die Taschenlampe streichelte, berührten seine Finger unabsichtlich den winzigen Schalter. Ulrich der Unterdrücker hatte keine Ahnung, was geschehen war. Er wußte nur, daß das Licht weg war – daß sein gerade gefundener Schatz verschwunden war – und das wohl für immer.

Der Kerkermeister ließ den Kopf auf die Brust sinken. Seine Schultern bebten. Ein merkwürdiges, ersticktes Murmeln kam aus seinem Mund. Zum allerersten Mal in seinem Leben weinte Ulrich der Unterdrükker.

7

»Hallo-ho! Da läuft er, Männer! Ihm nach!« rief König Arthur, schwenkte Emilys offenen Regenschirm über dem Kopf und beugte sich vor, so daß die durchsichtige Regenhaut sich im Wind blähte. Er faßte die Zügel seines Rosses kürzer und lenkte es durch die steile Rinne, immer seiner Beute dicht hinterher. Die Pferdehufe rutschten und schlitterten auf den losen Steinen, die unter ihnen davonrollten.

»Hussa!« schrie Sir Bedivere, legte seine Lanze an und zwang sein Pferd, dem von Arthur auf den Fersen zu folgen.

»Das Ungeheuer will zum Wald!« rief Sir Lancelot,

zog sein Schwert aus der Scheide und galoppierte am Rand der Rinne entlang. »Ich versuche, ihm den Weg abzuschneiden!«

»Was soll denn das ganze Trara«, seufzte Henry, der auf dem breiten Rücken von Cerebus etwa zweihundert Meter hinter den anderen herritt. »Es ist ein sehr kleiner Drache.«

Doch die Größe des Drachen war für König Arthur und seine beiden Ritter der Tafelrunde von geringer Bedeutung. In diesem Moment war jeder Drache besser als gar kein Drache.

Den ganzen Tag über waren sie geritten, ohne Halt zum Essen oder Trinken, und hatten noch nicht einmal die Spur eines zweiköpfigen Riesen oder eines einäugigen Ungeheuers gesehen. Das Streitroß Cerebus hatte es längst aufgegeben, mit den jüngeren, kräftigeren Pferden mitzuhalten, und war trotz Henrys Bitten immer weiter zurückgeblieben.

Als dann die Nachmittagsschatten in die Dämmerung übergingen, saßen die beiden Ritter und ihr Herr ab und wollten ein Nachtlager suchen. Da tauchte ein Holzfäller auf und erzählte ihnen von einem Drachen, der dieses Gebiet durchstreifte. Als Henry sie eingeholt hatte, waren die drei wieder aufgesessen und machten sich auf die Suche nach diesem Drachen. Cerebus fiel in den Rhythmus der anderen Pferde ein, und die vier trabten nebeneinander her.

»Haben Sie nicht der Königin gesagt, Sie wollten bei diesem Abenteuer keine Drachen töten, Majestät?« fragte Henry den König.

»Keineswegs«, antwortete Arthur. »Ich habe Ginevra nur versprochen, daß ich keine Drachenköpfe für die Wände nach Hause bringe.«

»Und was machen Sie mit diesem, wenn Sie ihn kriegen?«

Arthur zuckte die Schultern. »Zuerst töte ich ihn, und dann denke ich über diese Frage nach«, knurrte er.

»Ich habe von einem Edelmann gehört«, sagte Bedivere, »der die Köpfe erlegter Drachen als Fußschemel verwendet.«

»Das ist eine gute Idee!« schwärmte Arthur, doch dann runzelte er die Stirn. »Ich glaube allerdings nicht, daß Ginevra davon begeistert wäre. Sie jammert schon genug über die Drachenköpfe an den Wänden – was würde sie dann erst sagen, wenn sie dauernd auf dem Boden darüber stolpern müßte.«

»Diesen könnten wir auf Camelots höchstem Turm aufspießen, mein Lehnsherr«, sagte Lancelot, »allen anderen Bestien zur Warnung, daß sie Eure Ländereien nicht betreten.«

»Das wäre möglich, in der Tat«, stimmte Arthur zu und sagte dann zu Henry: »Für einen toten Drachen gibt es hundertundeine Verwendungsmöglichkeit, zum Beispiel . . .«

Aber Henry sollte nicht mehr erfahren, wozu ein erschlagener Drache sonst noch verwendet werden konnte. In diesem Augenblick sichteten sie ihre Beute.

Und die Jagd ging los.

Henry hatte recht gehabt. Es war tatsächlich ein kleiner Drache. Kaum mehr als ein Drachenjunges und nicht ganz so groß wie Arthurs Pferd.

Doch bei der folgenden Jagd erwies sich die Größe für den Drachen eher als Vorteil denn als Nachteil. Das junge Geschöpf war viel wendiger und geschickter als die schwerfälligen erwachsenen Exemplare seiner Rasse. Es wand und drehte und duckte sich, sprang zur Seite, machte dann auf der eigenen Spur kehrt und führte seine Verfolger hakenschlagend durch die unerfreulichsten Gegenden der Landschaft. Und nur gelegentlich bekamen sie den schuppigen Irrwisch flüchtig zu sehen.

»Hol dich der Teufel, du Satan!« fluchte Sir Bedivere, als sein Pferd sich durch sumpfiges Moor quälte.

»Dich krieg ich noch, du Ungeheuer!« schrie der kühne Sir Lancelot, als der Drache ihn durch eine besonders dornige Hecke lockte.

»Bleib stehn, verdammtes Untier, und laß mich dir zu Leibe rücken!« brummte König Arthur, als er den jungen Drachen durch einen dichten Kiefernwald verfolgte, wo die scharfen Nadeln ihm Gesicht und Hände zerkratzten und zu seiner Bestürzung sogar an dem Mantel aus vielen Fenstern zerrten.

Keuchend und schnaufend kämpften sich König Arthur und seine ritterlichen Begleiter voran, ohne daß sie den leichtfüßigen Drachen stellen konnten. Ihre Rösser schwitzten unter dem Gewicht von Rüstung, Waffen und Reiter.

»Wartet auf mich!« rief Henry, als er und der betagte Cerebus sehr bald zurückblieben. »Nur einen Moment! Bitte! Wartet doch auf mich . . .«

Und als allmählich der Junge und sein Pferd die drei anderen einholte, war es schon fast dunkel. Arthur, Bedivere und Lancelot waren abgesessen und hatten verschnauft. Jetzt flüsterten sie am Rande eines Brombeergestrüpps miteinander.

»Was passiert nun?« fragte Henry und ließ sich dankbar von dem breiten, unbequemen Rücken seines Pferdes auf die feste Erde hinunter.

»Psst!« flüsterte Lancelot und legte warnend einen Finger an die Lippen.

»Wir haben das Scheusal da drinnen in der Falle«,

murmelte Sir Bedivere und wies auf das dichte Brombeergestrüpp.

»Dieser Kiefernwald, durch den mich das Ungeheuer geführt hat, muß verhext gewesen sein«, sagte Arthur grimmig. Er zeigte Henry die durchsichtige Regenhaut, die jetzt voller winziger Kratzer und Risse war. »Ich glaube, das waren keine Kiefernnadeln, mit denen ich es zu tun hatte, sondern tausend Dämonen vom Hades, die sich in Kiefernnadeln verwandelt hatten. Was meinst du, Knabe?«

»Keine Ahnung«, sagte Henry ausweichend. Er wußte zwar genau, was er davon hielt, hatte aber nicht die Absicht, in einen Streit mit dem König zu geraten.

»Du solltest es aber wissen!« Arthur hob ärgerlich die Stimme. »Du bist schließlich ein Zauberlehrling, oder nicht? Du hast solche Dinge zu wissen. Wenn du den Unterschied zwischen einer Kiefernnadel und einem Dämon aus dem Hades nicht kennst, Knabe, wird aus dir nie ein ordentlicher Zauberer!«

Und wenn schon, dachte Henry, aber wenn Sie nicht den Unterschied zwischen einem Zaubermantel und einer durchsichtigen Regenhaut kennen, dann sind Sie selber nicht der Schlauste! Doch laut sagte er: »Es tut mir leid, Majestät!«

»Psst!« flüsterte Lancelot schon wieder und spähte in das dunkle Dickicht. »Ich glaube, ich habe etwas dort drin gehört.«

Alle vier horchten aufmerksam. Lancelot hatte recht. Mitten aus dem Brombeerdickicht kam ein Geräusch, ein Schnüffeln und Schniefen und Scharren.

»Wenn ihr mich fragt«, sagte Sir Bedivere, »dann macht es sich das Ungeheuer für die Nacht bequem.«

Arthur schaute zum Himmel, der rasch dunkler

wurde. Der Mond war noch nicht aufgegangen, doch zwei Sterne leuchteten hell.

»Es wird zu dunkel, als daß wir die Bestie noch aufscheuchen könnten«, sagte Arthur. »Ich schlage vor, wir kümmern uns um unseren eigenen Schlaf. Wir machen ein Feuer, kochen uns etwas zu essen und ruhen uns dann aus.«

»Und wenn das Ungetüm im Schutz der Dunkelheit zu fliehen versucht?« fragte Lancelot.

»Das glaube ich nicht«, sagte Arthur. »Drachen sind keine Nachttiere. Aber für alle Fälle werden wir abwechselnd Wache stehen. Wir ziehen Lose, wer als erster dran ist. Morgen früh, sowie die Sonne aufgegangen ist, hauen wir uns einen Weg in das Dickicht, und . . .« Arthur beendete den Satz nicht, doch seine rechte Hand griff nach dem edelsteinbesetzten Knauf von Excalibur, und es war klar, was er meinte.

Henry Hollins schauderte.

»Du kannst dich nützlich machen, Knabe«, sagte Arthur. »Schau dich um und suche Feuerholz.«

»Ja, Majestät.«

Henry ging am Rande des Dickichts entlang und las Holz auf. Doch mit seinen Gedanken war er nicht bei der Arbeit. Er machte sich Sorgen um seine Mutter und fragte sich, ob Merlin ihr helfen konnte. Er dachte auch über den Drachen nach. Gelegentlich schaute er in die Brombeerbüsche. Er sah keine Spur von dem Tier, jetzt war auch nichts mehr von ihm zu hören. Doch er wußte, daß es dort drinnen war . . . irgendwo im Versteck, wo es sich nicht heraustraute, kaum zu atmen wagte und sein Herz aufgeregt in seinem schuppigen Körper schlug.

Es war nicht fair, fand Henry. Drei erwachsene Männer gegen einen kleinen Drachen. Und das arme Geschöpf hatte noch dazu niemandem etwas getan. Was hatte Merlin gesagt? Wenn der letzte Drache erschlagen ist, wird das Zeitalter der Ritterlichkeit tot sein ...

»Knabe? Knabe!« Der Abendwind wehte König Arthurs Stimme herüber. »Wo bist du, Knabe?«

Henry schaute den Weg zurück, den er gekommen war, und sah einen rötlichen Schein, der ihm verriet, daß sie ein Feuer angezündet hatten. Er konnte Bediveres bellendes Gelächter hören. Ich sollte mich beeilen, sagte er sich, und mit dem Feuerholz zurückgehen. Er drückte das Bündel mit beiden Armen an die Brust und lief, immer wieder stolpernd, auf den Feuerschein zu.

Zumindest eines war sicher. Wenn ihm einfiel, wie er dem Drachen helfen könnte, vor dem Ende der Nacht zu fliehen, dann würde er es ohne Zögern tun.

Der Mond war aufgegangen und badete die turmbewehrten Mauern von Camelot in grauem, geisterhaftem Licht. Eine Wache hoch oben auf einer Brustwehr blieb stehen und schaute hinunter auf den silbrigen Burggraben, dann nahm der Mann seinen Rundgang wieder auf.

»Gleich kommt eine große schwarze Wolkenbank«, flüsterte Emily Hollins. Sie umklammerte ihre Handtasche fester und schaute vorsichtig aus dem Versteck, das sie mit der Großen Alma teilte. »Sobald sie den Mond verdeckt, laufen wir zu diesen Bäumen.«

Emily und ihre Gefährtin hatten sich seit dem frühen Morgen hier verborgen gehalten.

Ihre Flucht war fast sofort entdeckt worden. Auf die Rufe von Ulrich dem Unterdrücker kamen Männer aus allen Richtungen zum Kerker gelaufen. Und dann waren vom Morgen bis zur Dämmerung bewaffnete Suchtrupps aus dem Schloß heraus- und wieder hineingelaufen; ihre Schritte hallten unter dem Fallgitter und trommelten über die hölzerne Zugbrücke. Es war ein solches Kommen und Gehen gewesen, daß die Zugbrücke den ganzen Tag nicht hochgezogen worden war.

Und das war, soweit es Emily und die Große Alma betraf, ein Glück. Denn unter dieser Zugbrücke hatten die beiden sich versteckt. Nur einmal waren sie gestört worden – als die beiden weißen Schwäne unter die Brücke gewatschelt waren, die langen Hälse streckten, die beiden Eindringlinge musterten und mißfällig mit den Flügeln schlugen. Dann hatten sie sich zum Glück umgedreht und waren wieder davongewatschelt.

Doch den ganzen Tag hatten Emily und die Große Alma aus Furcht vor Entdeckung nicht zu sprechen gewagt und kaum einen Muskel bewegt.

Jetzt, wo es Nacht geworden war, hatte das Hin und Her auf der Zugbrücke aufgehört, und das Schloß schien zu schlafen.

Die Große Alma brach das Schweigen. »Ich bin ganz ausgehungert«, flüsterte sie verzagt, »und ich friere.«

In dem feuchten, dunklen Verlies war es schon schlimm gewesen, doch hier blies ein kalter Wind, und ihr kurzes, münzenbesetztes Feuerschlucker-Kostüm bot so gut wie keinen Schutz vor der Kälte. Die Große Alma fröstelte. Ihre Zähne klapperten, und sie rieb sich mit den Händen die Oberarme.

»Nur Mut, Große Alma«, sagte Emily. »Wenigstens sind wir frei.« Sie wühlte in ihrer Handtasche und zog eine halbleere Bonbonpackung hervor. »Hier, lutschen Sie eines von diesen extrastarken Pfefferminzbonbons. Gegen den Hunger hilft es kaum, aber vielleicht wärmt es ein bißchen.«

»Vielen Dank«, sagte die Große Alma und schob sich erleichtert ein Pfefferminzbonbon in den Mund.

Der Vollmond tauchte hinter die schwarze Wolkenbank, die den Himmel überflogen hatte.

»Jetzt haben wir unsere Chance«, flüsterte Emily. »Los!«

Dicht gefolgt von der Großen Alma kam Emily aus den Schatten unter der Zugbrücke hervor und lief, so schnell die Beine sie trugen, über den breiten grünen Wiesenhang, der zwischen dem Schloß und einem schützenden Wäldchen lag.

Der Weg kam ihr sehr weit vor. Emilys Herz klopfte aufgeregt, einmal von der Anstrengung und dann aus Angst vor einer möglichen Entdeckung. Zu allem Unglück kam auch der Mond hinter der Wolke hervor, bevor sie die Bäume erreicht hatten. Das Kostüm der Großen Alma war plötzlich in silbernes Licht getaucht.

Droben auf der Brustwehr blinzelte der Wachmann, als er in der Ferne eine laufende Gestalt sah, deren obere Hälfte mit Millionen funkelnder Lichter bedeckt zu sein schien. Der Wachmann rieb sich die Augen und schaute noch mal hin. Aber was er auch gesehen haben mochte – einen blitzenden Dämon oder einen glitzernden Geist –, die Erscheinung war so schnell verschwunden, wie sie sich gezeigt hatte.

Die Große Alma warf sich neben Emily in den hohen Farn unter den Bäumen und keuchte sekundenlang heftig.

»Ist alles in Ordnung, Große Alma?« fragte Emily ängstlich.

»Ich – ich glaube schon«, schnaufte die Große Alma, drehte sich auf den Rücken und fächelte ihrem offenen Mund Luft zu. »Du meine Güte«, keuchte sie, »Ihre Pfefferminzbonbons – die sind vielleicht stark!«

»Sie sollen auch stark sein«, sagte Emily und kicherte. »Aber ich hätte nie gedacht, daß Pfefferminzbonbons bei einer Feuer- und Schwertschluckerin so wirken!«

Über ihnen schrie eine Eule, und ein kleines, schwarzes, pelziges Tier brach aus seinem Versteck und eilte an ihnen vorbei zu seinem Nest.

Emily und die Große Alma sprangen rasch auf die Füße und klopften sich den Schmutz von den Kleidern.

Sie untersuchten ihre Umgebung. Mondlicht strömte durch das Gittermuster der Zweige über ihren Köpfen, und sie konnten einen nahen Pfad erkennen, der vom Schloß weg unter den Bäumen hindurch und weiter zu einem scheinbar unbegehbaren Felsen führte.

»Na?« fragte die Große Alma. »Was machen wir als nächstes?«

»Zuerst muß ich unseren Henry finden«, sagte Emily.

Die Große Alma schaute den Weg zurück, den sie gekommen waren, zum schwarzen, abweisenden Umriß des Schlosses, das sich gegen den Nachthimmel abhob. »Und wenn er noch dort ist?«

Emily biß sich auf die Lippe. »Das glaube ich nicht.« Sie schüttelte den Kopf. »Sonst hätte er es mich sicher wissen lassen.«

»Aber wo ist er dann?«

Emily seufzte. »Ich weiß es so wenig wie Sie.«

»Wie wollen Sie ihn dann finden? Wo fangen Sie an zu suchen?«

»Ich kann nur fragen«, sagte Emily und bemühte sich, ihre Angst nicht zu zeigen. »Auch wenn ich sonst nicht viel im Kopf habe, so hab ich doch wenigstens eine Zunge.«

»Wo fragen? Wen fragen?«

»Überall und jeden«, antwortete Emily entschlossen.

Sie wies auf den Weg, den sie hergekommen waren. »Und mit ihm fange ich an.«

Überrascht folgte die Große Alma dem Blick Emilys. Eine einsame Gestalt in Mantel und Kapuze kam über den Pfad in ihre Richtung. Sie war noch in einiger Entfernung und wäre ohne die leuchtende Laterne, die sie trug, nicht zu sehen gewesen. Der Näherkommende hatte Emily und die Große Alma, die noch unter den Bäumen standen, offenbar nicht bemerkt.

»Und wenn es jemand ist, der uns suchen soll?« fragte die Große Alma. »Angenommen, er schlägt Alarm?«

»Das Risiko muß ich eingehen«, sagte Emily entschlossen. »Sie aber nicht. Sie können sich zwischen den Bäumen verstecken und ihn glauben lassen, ich sei allein.«

»Kommt nicht in Frage!« Die Große Alma warf ihre goldenen Locken zurück. »Wir sind zusammen so weit gegangen, Mrs. Hollins . . .« Sie machte eine Pause und sagte dann: »Dürfte ich Sie Emily nennen?«

»Natürlich, bitte. Alle meine anderen Freundinnen nennen mich auch so. Sagen wir doch gleich du.«

»Schön. Wir sind zusammen so weit gegangen, Emily – da bleiben wir auch zusammen bis zum Ende.«

Emily lächelte der Großen Alma dankbar zu. Als die Gestalt mit der Kapuze fast auf gleicher Höhe mit ihnen war, traten sie gemeinsam aus ihrem Versteck hervor.

»Entschuldigen Sie«, sagte Emily, »wissen Sie vielleicht zufällig etwas über einen Jungen namens Henry Hollins?«

Der Fremde blieb überrascht stehen und leuchtete dann mit der Laterne Emily ins Gesicht. »Ja«, sagte er. »Und Sie kenne ich auch. Sie sind seine Mutter, nicht wahr? Ich war gerade im Schloß und habe Sie gesucht.«

Emily schaute in das Gesicht, das von der Kapuze halb verborgen war, doch die Laterne leuchtete hell genug, daß sie den Mann wiedererkennen konnte. »Ich weiß auch, wer Sie sind. Sie sind der Zauberer, der unseren Henry auf die Bühne geholt hat. Ihretwegen ist er überhaupt hierhergekommen.«

Der Alte nickte. »Ich bin Merlin, Zauberer am Hof von König Arthur.« Dann wendete er seine Laterne der Großen Alma zu. »Und wer sind Sie?« fragte er.

»Sie ist die Große Alma, Schwertschluckerin und Feuerfresserin vom Theater am Südkai in Cockleton-am-Meer«, sagte Emily. »Es ist allein Ihre Schuld, daß sie hier ist – und daß auch ich hier bin. Ich glaube, Sie müssen uns einiges erklären, Mr. Merlin.«

Der alte Zauberer nickte langsam. »Sie haben wohl recht«, sagte er ein wenig traurig. »Kommen Sie mit.«

8

Von dem rotglühenden Holz hob sich träge der Rauch und stieg hoch hinauf in den Nachthimmel. Henry Hollins warf ein neues Aststück auf das Lagerfeuer, das knackte und prasselte und einen goldenen Funkenregen aufsprühen ließ. Das Geräusch brachte eines der Pferde, die in der Nähe angebunden waren, zum Wiehern, und Sir Bedivere unterbrach einen Moment lang sein regelmäßiges Schnarchen. Als dann orangefarbene Flammen um das neue Holzstück leckten, nahm Sir Bedivere wieder sein rhythmisches Schnarchen auf, sonst herrschte Ruhe.

Sie hatten ein karges Abendessen zu sich genommen, Nüsse und Äpfel und Beeren aus einem Beutel, den Arthur dabeihatte. Dieses ziemlich ärmliche Mahl wurde durch kleine Kuchen ergänzt, die Lancelot aus Mehl, Haferflocken und klarem Quellwasser auf heißen flachen Steinen am Rande des Feuers gebacken hatte. Es war ein einfaches Essen gewesen, doch Henry hatte es ungeheuer genossen, unter einem Baldachin aus funkelnden Sternen in der Gesellschaft von König Arthur und den beiden Rittern der Tafelrunde zu speisen.

Hinterher hatten sie ausgelost, wer wann Wache stehen mußte. Lancelot war als erster an der Reihe, Bedivere als zweiter, und jetzt war es Henrys Aufgabe, zu wachen und das Feuer zu schüren, bis der rosige Morgen über den Samthimmel zog. Arthur brauchte nicht Wache zu stehen, weil er König war.

Henry legte die Arme um die angewinkelten Beine, stützte das Kinn auf die Knie und starrte ins Feuer. Trotz der Gluthitze schauerte ihn, als ihn plötzlich ein Gefühl tiefer Einsamkeit überkam. Er schaute zu den drei Schlafenden hinüber, doch ihre Anwesenheit half nichts gegen das Empfinden, allein zu sein. Dann wanderten seine Blicke zu den ordentlich gestapelten, glänzenden Rüstungen, die die Männer vor dem Schlafengehen abgelegt hatten. Neben diesem funkelnden Metall lagen zwei Gegenstände, die überhaupt nicht dazu paßten: ein Taschenschirm und eine ziemlich mitgenommene durchsichtige Regenhaut aus Plastik.

Der Anblick der beiden vertrauten Dinge erinnerte Henry an seine Mutter, und gleich fühlte er einen Kloß in der Kehle. Doch Henry Hollins war kein Junge, der sich leicht seinen Gefühlen überließ. Wenn er jemandem helfen wollte, nicht nur seiner Mutter, sondern auch sich selbst, dann mußte er einen klaren Kopf bewahren. Diese Gefühlsduselei bringt gar nichts, sagte er sich. Ärgerlich blinzelte er eine Träne weg und schluckte heftig.

Er wurde noch wütender auf sich, als er das Schluchzen hörte, das wohl aus seiner Kehle kam. Doch überrascht stellte er fest, daß diesem Schluchzen ein weiteres, diesmal lauteres folgte – da schluchzte jemand anderes. Die Geräusche kamen aus der Tiefe des Dikkichts. Und sie wurden noch immer lauter und übertönten fast Bediveres Schnarchen.

Leise stand Henry auf und ging auf Zehenspitzen an den Rand des Brombeergestrüpps. Er versuchte die Büsche zu teilen und hineinzuschauen, doch die Dornen waren zu spitz und die Zweige zu sehr ineinander verschlungen.

Nun konnte Henry hören, daß der kleine Drache nicht nur schluchzte, sondern auch rasch und erregt atmete. Zweifellos hatte er wach gelegen, während die Nachtstunden langsam vergingen, und sein Entsetzen und seine Angst vor dem kommenden Morgen waren gewachsen und gewachsen und gewachsen . . .

Der Junge schaute zu den Männern in ihrem tiefen Schlaf hinüber, und wieder stieg in ihm der Zorn hoch. Wie konnten sie nur so mitleidslos sein? Wie konnten sie von Ritterlichkeit und Ehre reden und sich im gleichen Atemzug zum Mord an einem harmlosen Geschöpf verschwören, das sich noch nicht einmal wehren konnte?

»Hab keine Angst«, flüsterte er in die Dornbüsche. »Ich komme und hol dich raus. Ich helfe dir zu flie . . .« Er schwieg sofort, weil er hinter sich ein Geräusch hörte.

Aber es war nur ein brennender Ast, der in die Glut gefallen war. Beruhigt, aber mit Herzklopfen umkreiste Henry das Brombeerdickicht und suchte eine Lücke, durch die er hineinkonnte.

Arthur und Lancelot schliefen ruhig weiter; Bediveres dicker schwarzer Schnurrbart zitterte von seinem Schnarchen.

Bald hatte Henry die Stelle gefunden, wo der Drache ins Gebüsch gedrungen war. Die Zweige waren abgebrochen und das Unterholz zusammengetreten, so daß eine Art dunkler, stacheliger Tunnel entstanden war, durch den er leicht schlüpfen konnte. Vorsichtig ging er hinein und achtete darauf, nicht auf die nadelscharfen Dornen zu treten, die überall hervorstanden. Je näher er dem Drachen kam, um so lauter wurde das Keuchen, und als er um eine Ecke bog, spürte Henry den heißen Atem des Tieres in seinem Gesicht.

Henry blieb stehen und schaute angestrengt in die Dunkelheit vor sich. Dann merkte er, daß ihn durch das dichte Filigran der Zweige ein Paar große, runde, überraschte Augen anschauten. Er stand mucksmäuschenstill; er sah, daß das Tier zitterte.

»Schon gut«, murmelte er leise. »Hab keine Angst. Ich will dir helfen.«

Langsam streckte er die Hand nach dem schuppigen Kopf aus. Der Drache blickte ihn unverwandt an, er war still und fast bewegungslos, nur gelegentlich überlief ihn ein Schaudern. Doch als Henrys ausgestreckte Finger der langen, dünnen Schnauze näher kamen, zuckte der Drache voller Angst. Henry sah, wie aus jeder seiner Nüstern graugrüner Rauch aufstieg.

»Ruhig . . . nur ruhig . . .«, sagte Henry freundlich.

Er redete weiter beruhigend auf ihn ein, streckte wieder die Hand aus, und diesmal blieb der Drache ruhig und erlaubte ihm, mit den Fingerspitzen die Schnauze zu streicheln, die sich rauh und lederartig anfühlte.

»Braver Junge!« sagte Henry. »Wer ist ein liebes Tier? Wer ist ein kluger Drache?«

Er hatte das Gefühl, daß er ganz allmählich das Vertrauen des Tiers gewann. Der Drache ließ sich nicht nur streicheln, er rieb auch mit der Schnauze seine Hand. Henry ging noch einen Schritt auf ihn zu, und der Drache ließ sich den langen, breiten Hals tätscheln.

»Komm, alter Freund«, drängte Henry und versuchte, das nervöse Geschöpf aus seinem Versteck zu locken. »Komm mit, Draggi.«

Wieder war ihm, als käme der Drache etwas näher. Na schön, dachte Henry, dann also los! Er nahm allen Mut zusammen, griff eine Handvoll schlaffe Haut hinter den spitzen Ohren des Drachen und zog sanft daran.

»Los, komm, Draggi«, sagte er leise und ermunternd. »Nichts wie raus hier.«

Der Drache setzte zögernd einen schwimmhäutigen Fuß vor den andern und ließ sich von ihm aus dem Brombeerdickicht führen.

Henry blieb stehen und schaute über die Landschaft im Mondschein. In alle Richtungen zog sich, so weit das Auge reichte, hügeliges Wiesengelände. Wohin sollten sie sich wenden? Henry zuckte die Schultern. Es war wohl gleichgültig, solange er und der Drache sich bis Sonnenaufgang nur so weit wie möglich von König Arthur und seinen Gefährten entfernten.

»Wir machen uns besser auf den Weg, Draggi«, sagte Henry. Er hatte immer noch die Hand an dem ledrigen Hals des Tieres. »Auf geht's!«

Und Henry und der Drache zogen los über das

mondbeglänzte Gras. Sie waren noch nicht weit gegangen, da hatte Henry das merkwürdige Gefühl, daß nicht er den Drachen führte, sondern daß der Drache ihn dorthin brachte, wohin er wollte.

Emily Hollins starrte die riesige gefleckte Kröte an, die sie aus einer Ecke der Höhle anblinzelte. Die Kröte quakte zweimal, als Emily den Löffel in die leere Schüssel legte und sie neben sich auf den Boden stellte.

»Essen Sie noch ein bißchen Suppe«, sagte Merlin.

»Nein, danke. Sie hat sehr gut geschmeckt«, sagte Emily höflich. »Wirklich sehr gut.«

»Mhmmm!« bestätigte die Große Alma und leckte begeistert ihren Löffel ab. »Hervorragend!«

»Und Sie wollen wirklich nichts mehr?« Der Zauberer nahm den Suppentopf vom Feuer und stellte wieder den Kessel mit dem grünen, schleimigen Inhalt darauf, mit dem er nichts Rechtes anzufangen wußte.

»Um wieder auf unseren Henry zurückzukommen«, Emily kehrte zu dem Thema zurück, das sie am meisten beschäftigte, »ich finde nach wie vor, Sie haben sich zuviel herausgenommen, als Sie ihn einfach so in die Vergangenheit versetzt haben. Zumindest hätten Sie mich oder meinen Mann um unsere Einwilligung bitten können.«

»Es tut mir sehr leid«, sagte Merlin. »Aber ich habe dringend einen Assistenten gebraucht. Und ich hätte ihn im Auge behalten und sicher zurückgebracht, wenn alles vorbei gewesen wäre.«

»Ihn im Auge behalten?« Emily war empört. »Wie können Sie es wagen, so etwas zu sagen, wenn Sie noch nicht einmal wissen, wo er in diesem Moment ist!« Sie nickte der Großen Alma zu. »Und was ist mit dieser armen jungen Dame? Denken Sie nur daran, was sie durchgemacht hat – tagelang in diesem dreckigen Kerker eingelocht. Und alles Ihretwegen.«

»Davon habe ich nichts gewußt.« Merlin lächelte der Großen Alma entschuldigend zu. »Als das geschah, war ich in Cockleton-am-Meer.«

»Dennoch war es Ihre Schuld, oder etwa nicht?« Emily blieb hartnäckig. »Sie haben schließlich das magische Kabinett im Theater herumstehen lassen.«

»Ich habe nicht gedacht, daß jemand ungebeten hineinsteigen würde.«

»So ein Blödsinn!« sagte Emily. »Ich bin selbst hineingestiegen. Das war einfach leichtsinnig von Ihnen.« Sie schaute in den dunklen Hintergrund der Höhle, wo der Zeittunnel anfing. »Nach allem, was wir wissen, könnte jemand in dieser Sekunde hineinsteigen. Wir haben keine Ahnung, wer als nächster hier auftauchen könnte: der Theaterpförtner; vielleicht der Geschäftsführer; am Ende auch noch die Eisverkäuferin.«

Merlin schüttelte den Kopf. »Was das angeht, bin ich durch Schaden klug geworden«, sagte er. »Ich habe den Tunnel geschlossen.«

Emily rümpfte die Nase. »Wenn das Kind in den Brunnen gefallen ist, deckt man ihn ab«, sagte sie. »Und wie, denken Sie, sollen wir alle zurückkommen?«

»Ich mache ihn auf, wann immer Sie es wünschen«, sagte Merlin. Er wandte sich an die Große Alma. »Sie können sofort zurück, wenn Sie wollen.«

»Nein, danke.« Die Große Alma schüttelte die goldenen Locken. »Ich habe Emily schon gesagt, daß ich zu ihr halte bis zum bitteren Ende. Ich denke gar nicht daran zurückzugehen, bevor ihr kleiner Junge in Sicherheit ist.«

»Und damit wären wir wieder beim Thema«, sagte

Emily. »Sie haben uns in diesen Schlamassel gebracht, Mr. Merlin – und Sie müssen uns auch wieder rausbringen. Wie können wir Henry finden? Wo sollen wir ihn suchen?«

Merlin rührte die unappetitliche grüne Flüssigkeit im Kessel um und hielt plötzlich inne. Ihm war eine Idee gekommen.

»Ich frage mich . . .«, murmelte er. »Ich frage mich, ob . . .«

»Ob was?« sagte Emily ungeduldig.

Merlin deutete mit dem Löffel auf den Kessel. »Das Zeug da. Wenn ich hineinschauen und mich konzentrieren würde, ob ich dann wohl sehen könnte, was überall auf der Welt geschieht?«

»Ist es dafür gut?« fragte Emily zweifelnd. »Soll es das bewirken?«

»Das ist ja gerade die Frage«, seufzte Merlin. »Ich weiß nicht, was es bewirken soll. Ich weiß, was es nicht bewirkt. Es heilt weder Warzen noch eitrige Geschwüre. Es hilft auch nicht viel bei Drachenverletzungen.«

»Und es riecht scheußlich«, sagte die Große Alma und rümpfte die Nase, als sie über Emilys Schulter in den Kessel sah.

»Nicht wahr!« stimmte der alte Magier zu. »Das beweist, daß es für irgendwas gut ist. Ich will versuchen, hineinzuschauen und mich zu konzentrieren – man kann nie wissen, vielleicht klappt es ja.«

Emily und die Große Alma hielten den Atem an, als Merlin in den brodelnden grünen Schleim starrte, ein paar magische Formeln murmelte und mit den langen Fingern geheimnisvolle Zeichen über dem Kessel machte.

»Nun?« Emily konnte sich nicht länger zurückhalten. »Was sehen Sie?«

»Nichts.« Merlin seufzte wieder. »Überhaupt nichts außer brodelndem, grünem Zeug.«

»Langsam, Draggi! Nicht so schnell, Junge!« Henry keuchte und packte den Drachenhals fester, als das Tier noch schneller lief und aufgeregt mit dem Schwanz schlug.

Der Junge und der Drache rasten durch einen dichten Wald, in dem dicker grüner Farn bis in Brusthöhe wuchs. Die Morgensonne blinzelte durch ein Gitter belaubter Äste. Nach dem Stand der Sonne am Himmel schätzte Henry, daß sie seit etwa fünf Stunden unterwegs waren.

Inzwischen hatten sie wohl viele Meilen zwischen sich und König Arthurs Jagdgesellschaft gelegt. Nur einmal hatten sie gerastet und ihren Durst an einer eiskalten, kristallklaren Quelle gestillt, die aus felsigem Boden gesprudelt war.

Henry brauchte dringend eine weitere Rast, doch

danach stand dem Drachen nicht der Sinn. Inzwischen zweifelte Henry nicht mehr daran, daß das Tier genau wußte, wohin es wollte. Henry hatte zudem das Gefühl, daß sie nicht weit von ihrem Ziel waren. Seitdem sie den Wald erreicht hatten, schnupperte der Drache aufgeregt, zuckte mit der Schnauze und stieß kleine graugrüne Rauchwolken aus den Nüstern.

»Uff! Immer mit der Ruhe!« stöhnte Henry, als der Drache plötzlich die Richtung wechselte. Er schwenkte durch ein Büschel Glockenblumen zu einem rutschigen, moosbewachsenen, steilen Ufer hinunter und zog den Jungen hinter sich her. Henry hatte Mühe, auf den Beinen zu bleiben, als der Drache in den Graben rutschte. Ohne zu stoppen, planschte er durch einen knöcheltiefen Waldbach und lief das andere Ufer hinauf.

Henry wollte auf keinen Fall seinen Halt am Drachen verlieren. Entschlossen packte er noch fester zu und paßte sich Satz um Satz dem Tier an, das durch noch mehr Farnbüsche und Glockenblumen dem Tageslicht zuraste, das am Ende des Waldes schimmerte.

Als sie dann aus dem Dickicht brachen und auf eine Lichtung kamen, die von der Morgensonne überstrahlt war, blieb der Drache plötzlich stehen. Henry ließ den Hals des Tiers los, warf sich dankbar zu Boden und rang nach Luft. Ein paar Augenblicke lag er still auf dem Rücken und schaute in den blauen Himmel.

Allmählich hörte sein Keuchen auf, und er bemerkte andere Geräusche um sich herum: Grunzen und Schnüffeln und das Tappen riesiger Füße, die über die Lichtung liefen. Henry rollte sich auf den

Bauch und stützte den Kopf in die Hände. Was er sah, ließ ihn vor Überraschung blinzeln.

Jenseits der Lichtung stand ein Felsen mit einem großen Einschnitt, dem Zugang zu einer Art Steinbruch oder Schlucht. Und aus dieser Schlucht stapfte eine ganze Familie von Drachen, insgesamt etwa zehn, in allen Größen und Formen auf ihn zu.

Während Henry noch staunte, lief der junge Drache hinüber zu einem der größeren Tiere und rieb seine Schnauze an dessen schuppiger Haut. Der große Drache, den Henry für die Mutter hielt, streckte eine lange rosa Zunge heraus und leckte zärtlich den weichen Bauch des kleinen Drachen, und ein paar noch kleinere Tiere tollten um die beiden herum.

Offenbar hatte der junge Drache, Henrys Drache, nach Hause gefunden.

Ein Mitglied der Drachenfamilie nach dem anderen drehte sich um und trottete zum Felsen zurück. Der größte Drache, ein stattliches, stolzes, silbergrünes

Tier, kam als letzter, ließ eine gespaltene Zunge aus dem Maul schnellen und schaute in alle Richtungen nach Anzeichen von Gefahr aus. Dann verschwanden die Drachen hintereinander in der Schlucht, bis nur noch Henrys Drache und der große da waren.

Der junge Drache drehte sich um, sah Henry aus runden, strahlenden Augen an, wedelte freundlich mit dem Schwanz und folgte dann seinen Gefährten. Auch der große Drache warf einen letzten Blick auf Henry, er wandte den hornigen Kopf auf dem lederigen Hals und schaute hinüber zu dem Jungen, der immer noch im Gras lag. Und dann, als wollte er danke sagen für die sichere Heimkehr des jungen Drachen, hob der große das Maul und stieß ein langes, tiefes, schmachtendes Gebell aus. Zwei rote Flammenzungen loderten aus seinen Nüstern in den Himmel. Und dann ging der letzte der Drachenfamilie wie alle anderen in die Schlucht.

Henry war jetzt allein auf der Lichtung. Er stand auf. Es war ganz still. Kein Grashalm rührte sich. Irgendwo zirpte eine einsame Grille, doch von einem Drachen war nichts mehr zu sehen, zu hören oder zu riechen, fast als hätte er die Drachenfamilie nie getroffen.

Die Schlucht war ein phantastisches Versteck, dachte Henry. Dort würden die Drachen vor den Drachenjägern sicher sein. Jetzt, wo dieses kleine Abenteuer vorbei ist, sagte er sich, habe ich nur noch das Problem vor mir, nach Camelot zurückzugehen und etwas wegen meiner Ma zu unternehmen, bevor ...

»Gut gemacht, Knabe!« Es war König Arthurs laute Stimme, die Henrys Gedanken unterbrach. Er fuhr herum und starrte die drei regungslosen Gestalten an, die im Schatten der Bäume auf ihren Rössern saßen.

Einen Augenblick lang dachte Henry, die drei Männer seien gerade erst angekommen und hätten deshalb die Drachen nicht gesehen, doch diese schöne Hoffnung löste sich schnell in nichts auf.

»Wirklich gut gemacht, Knabe!« sagte Sir Bedivere. »Du hast uns direkt zum Versteck der letzten Drachenmeute geführt, die Britannien verwüstet.«

»Sie verwüsten gar nichts!« gab Henry zurück. Ihn fröstelte, obwohl er in der Sonne stand. »Was wollt ihr tun?« fragte er besorgt. Die Frage war sinnlos, er kannte schon die Antwort.

»Ich will dir sagen, was wir nicht tun werden«, sagte Lancelot. »Diese Horde lassen wir jedenfalls nicht so entkommen wie den ersten.«

König Arthur schmunzelte und drehte sich in seinem Sattel um. »Reite nach Camelot, so schnell du kannst, Lancelot. Ruf alle Ritter der Tafelrunde zusammen und bring sie so rasch wie möglich hierher. Sag ihnen, wir gehen auf die größte Drachenjagd in der Geschichte.«

»Ja, mein Herr.« Sofort drängte Lancelot sein Pferd zurück in den Wald, aus dem sie gekommen waren.

Arthur und Bedivere stiegen ab. Henry ging über die Lichtung und stellte sich vor den König. »Merlin sagt, wenn der letzte Drache erschlagen ist, stirbt das Zeitalter der Ritterlichkeit.«

»Merlin ist ein dummer alter Narr«, sagte Arthur.

Bedivere hatte sein Schwert aus der Scheide gezogen und überprüfte die Klinge mit dem Daumen. »Ich brauche einen Stein, um sie zu schärfen«, sagte er, und mit einem Blick auf die Schlucht:

»Gibt es bestimmt keinen anderen Weg hinaus als diesen dort?«

»Bestimmt nicht.« Arthur schüttelte den Kopf. »Ich bin in dieser Gegend schon gewesen. Ich kenne die

Schlucht gut. Es gibt nur einen einzigen Ein- und Ausgang. Und drinnen ist der Felsen hoch und steil auf allen Seiten. Fürchte nichts, Bedivere – die Ungeheuer sind in unserer Hand.«

»Und wenn sie weglaufen, bevor Lancelot und die Ritter der Tafelrunde hier sind?«

Arthur zuckte die Schultern. »Die Öffnung ist so eng, daß nur einer nach dem andern herauskommen kann. Wir könnten dabei leicht ein paar töten. Die anderen erschlagen wir, wenn Lancelot zurückkommt.« König Arthur lächelte dem niedergeschlagenen Henry zu. »Kopf hoch, Knabe! Du siehst aus, als hättest du ein Goldstück verloren und eine Ziege gefunden!«

Henry kaute an seiner Unterlippe und antwortete nicht. Doch insgeheim sagte er sich: »Es ist allein meine Schuld . . . Ich habe sie hierhergeführt . . . Es ist alles meine Schuld . . . Es ist alles meine Schuld . . .«

9

Ängstlich sah Henry Hollins zu, wie die Ritter der Tafelrunde ihre Rüstungen zurechtrückten, sich um das Geschirr ihrer Pferde kümmerten und, das war das Schlimmste, ihre Schwertklingen und Lanzenspitzen schärften.

Fast eine Stunde war vergangen, seit Lancelot in vollem Galopp mit der gesamten Schar von König Arthurs Männern in ihrem Waffenschmuck zurückgekommen war. In dieser Zeit hatten sich die Ritter auf das bevorstehende Schlachtfest vorbereitet. Es sah so aus, als könnte nichts die Drachen retten. Sir Bedivere hatte am Eingang zur Schlucht Wache gehalten, seit Lancelot ausgeritten war, um Verstärkung zu holen; jetzt schwenkte er den Arm zum Zeichen, daß die Drachen noch in der Schlucht versammelt waren und keine Ahnung von dem Schicksal hatten, das ihnen bevorstand. Dann ging Bedivere über die Lichtung zu seinem eigenen Pferd.

»Aufsitzen!« befahl der König.

Überall am Waldrand schwangen sich die Ritter der Tafelrunde in den Sattel und packten ihre Lanze fester.

Zu jedem anderen Zeitpunkt wäre Henry vom Anblick der vielen Ritter in glänzenden Rüstungen auf ihren Pferden sicher begeistert gewesen. Aber hier und jetzt, wo die ahnungslose Drachensippe gleich von ihrem Verhängnis ereilt werden sollte, wünschte sich Henry tausend Meilen – oder Jahre – fort.

Die Ritter saßen regungslos auf ihren Schlachtrössern. Ein leichter Wind bewegte die Federbüsche auf ihren blanken Helmen.

Arthur, der im schlimm zugerichteten Mantel aus vielen Fenstern hoch zu Roß an der Spitze seiner Ritterschar saß, drehte sich im Sattel um und musterte die Reihe berittener Kämpfer.

»Sir Bedivere, Sir Lancelot und ich reiten in die Schlucht und treiben die Ungeheuer auf die Lichtung heraus«, rief er. »Ihr übrigen wartet hier und greift sie, wenn wir sie herausgezwungen haben, von vorn an, während Bedivere, Lancelot und ich sie von hinten hetzen. Ist das klar?«

»Ja, mein Herr!« Der Ruf wanderte die Reihe entlang.

»Dann wollen wir uns entschlossen in den Kampf stürzen, Männer!« fuhr der König fort. »Und beten, daß wir unser Land von diesen letzten Höllenbestien befreien!« Damit zog Arthur Emilys Schirm hinter seinem Sattel hervor und schwenkte ihn dreimal über dem Kopf. Beim zweiten Schwenk öffnete sich der Schirm wieder, und der Zauberpilz sprang über Arthurs Kopf auf.

Ein Jubeln erhob sich von den Rittern der Tafelrunde.

»Auf Ritterlichkeit, Ehre und den Zauberpilz!« schrie König Arthur.

»Auf Ritterlichkeit, Ehre und den Zauberpilz!« wiederholten alle Ritter.

Arthur schaute auf Henry hinunter, der am Hinterteil seines alten Pferdes stand. »Du versteckst dich besser, Knabe, damit dir nichts passiert«, sagte er. »Man kann nicht vorsichtig genug sein, wenn es um diese verdammten Ungeheuer geht.«

»Aber sie sind keine verdammten Ungeheuer! Und überhaupt . . .«, fing Henry an.

»Vor-wärts!« befahl der König.

Traurig sah Henry zu, wie die lange Reihe berittener Kämpfer mit Arthur an der Spitze ihre Rösser im Schritt über die Lichtung und zur Schlucht ziehen ließen. Er hob die Hand und wischte sich eine Träne weg. Immer noch wurde er den Gedanken nicht los, daß die Entdeckung der Drachen teilweise seine Schuld war. Wenn er nur vorsichtiger gewesen wäre. Wenn er nur versucht hätte, die Spuren zu verwischen, die er und der junge Drache hinterlassen hatten. Wenn er nur den jungen Drachen in eine andere Richtung geführt hätte, statt sich führen zu lassen. Wenn nur jemand da wäre, der ihm helfen könnte. Wenn nur . . .

»Henry!« flüsterte jemand hinter ihm. »Henry!« Da war es wieder. Und: »Pssst!«

Er fuhr herum und sah überrascht in ein vertrautes Gesicht, das hinter einem Baum hervorschaute.

»Hallo, Ma!« sagte er. »Wie bist du denn hergekommen?«

»Dein Freund Mr. Merlin hat mich hergebracht.«

Henry sah sich verwirrt um. »Wo ist er? Und woher wußte er, wo ich bin?«

Die Ritter waren schon jenseits der Lichtung, und Emily konnte unbesorgt aus ihrem Versteck heraustreten.

»Oh, das war kinderleicht«, sagte sie. »Zwischen hier und Camelot waren so viele Ritter unterwegs, daß es ziemlich schwer gewesen wäre, dich zu verfehlen. Merlin hat uns erzählt, daß du die Drachen retten willst, deshalb sind wir dir zu Hilfe gekommen.«

»Ich fürchte, ihr seid zu spät dran.« Niedergeschlagen sah Henry König Arthur und seinen Rittern nach, die sich nun der Schlucht näherten. Er zuckte die

Schultern und seufzte. »Es ist sowieso egal. Was könnten wir drei schon gegen König Arthur und seine Männer ausrichten?«

»Du meinst, wir vier«, sagte Emily. »Oh, ich habe ganz vergessen – du weißt noch gar nichts von der Großen Alma, oder?«

»Der großen wer?« fragte Henry verblüfft. »Und wo ist Merlin?«

»Das wirst du schon noch sehen.« Emily deutete gelassen zur Schlucht hinüber. »Sieh dir das mal an.«

Henry folgte noch verwirrter als zuvor ihrem Blick.

König Arthur brachte sein Pferd zum Stehen und hob die rechte Hand. Hinter ihm zogen die Ritter auf seinen Befehl die Zügel an. Dann gab er Bedivere und Lancelot ein Zeichen und glitt vom Sattel zu Boden.

»Wir drei gehen zu Fuß hinein«, sagte Arthur. »So können wir die bösen Bestien leichter heraustreiben. Sobald sie heraus sind, sitzen wir wieder auf, um sie zu töten.«

Bedivere und Lancelot nickten, stiegen ab und gaben – wie zuvor schon Arthur – die Zügel ihrer Pferde einem Gefährten. Wortlos näherten sie sich der Schlucht. Arthur hielt mit einer Hand den Zauberpilz über seinen Kopf, in der anderen war sein Schwert Excalibur. Auch Sir Bedivere und Sir Lancelot hatten ihre Schwerter gezogen.

Emily am Waldrand sah Arthurs Aufzug zum ersten Mal und stieß einen kleinen Wutschrei aus. »Wirklich! So eine Frechheit!« sagte sie. »Das ist mein Regenschirm, den er mitgenommen hat – und sieh dir bloß an, wie er meine Regenhaut zugerichtet hat!«

Als Arthur und die beiden Ritter sich dem Felseneinschnitt näherten, der zur Schlucht führte, trat jemand vor sie hin und versperrte ihnen den Weg.

»Aus dem Weg, du alter Narr!« zischte Arthur.

»Nehmt Euch in acht, Arthur von Camelot!« sagte Merlin der Zauberer mit zitternder Stimme, die in der ganzen Lichtung zu hören war. »Kehrt zurück, woher Ihr gekommen seid, bevor es zu spät ist!«

»Zur Seite, du blöder alter Naseweis!« fuhr Arthur ihn an. »Weg, bevor ich die Geduld verliere! Was hast du überhaupt hier zu suchen?«

»Ich bin gekommen, Euch zu warnen, Arthur!« fuhr der alte Zauberer fort. »Ihr dürft diese Geschöpfe nicht töten. Sonst weckt ihr den Zorn derer, die den zauberischen Kräften gebieten!« Um seinen Worten Nachdruck zu verleihen, fuhr Merlin mit den langen, dünnen Fingern durch die Luft, murmelte eine seiner Beschwörungen und zog eine Schnur voller Nationalflaggen aus dem Ärmel und holte ein Hühnerei hinter Arthurs Ohr hervor.

Bedivere und Lancelot blinzelten überrascht, aus der Reihe der Ritter stieg erstauntes Gemurmel auf. Doch Arthur blieb unbeeindruckt.

»Ich habe jetzt keine Zeit für deine Tricks«, schnauzte der König ihn an. »Zum letzten Mal sag ich dir, Merlin, tritt zur Seite oder sieh dich vor!«

»Und zugleich warne ich Euch zum letzten Mal«, stotterte der Zauberer. »Nicht meine Macht zweifelt Ihr an, sondern die der Königin aller Drachen.«

»Und wer sollte das sein?« fragte Arthur.

»Die – äh – die Große Alma«, sagte Merlin etwas unsicher.

Arthur schaute Bedivere und Lancelot an. »Wer, hat er gesagt?« Er runzelte die Stirn. »Wer ist die Große Alma?«

Bedivere und Lancelot tauschten verwirrte Blicke und schüttelten den Kopf.

»Ich habe keine Ahnung«, sagte Lancelot.

»Nicht die Bohne«, sagte Bedivere.

»Ta-ra-tü-taaa!« rief die Große Alma und kam wie aufs Stichwort hinter einem Fels hervor. Gerade war es ihr gelungen, mit Merlins Feuerstein zwei Fackeln aus Stroh und Stöckchen anzuzünden. Jetzt hielt sie in jeder Hand eine brennende Fackel. Die Münzen auf ihrem Kostüm glitzerten. Ihr goldenes Haar leuchtete in der Sonne. »Ich bin die Große Alma«, sagte sie und machte ziemlich nervös vor König Arthur einen Knicks.

König Arthurs Gesicht verfinsterte sich. »Das ist eine von den Hexen, die wir gefangen haben. Was macht sie hier? Warum ist sie nicht im Kerker? Wer hat sie herausgelassen? Wenn das noch ein fauler Trick von dir ist, Merlin . . .«

»Nein, Sire.« Merlin schüttelte entschieden den Kopf. »Manchmal verwandelt sie sich in eine Hexe – oder auch in einen Frosch oder Molch –, aber das Verlies ist noch nicht gegraben worden, das tief genug ist, um sie gefangenzuhalten. In Wahrheit, Majestät, ist sie tatsächlich die Königin aller Drachen.« Er sah die Große Alma an und zischte ihr zu: »Los, weitermachen!«

Die Große Alma knickste wieder und zeigte dann den Rittern der Tafelrunde, wie sie Feuer schlucken konnte.

Zuerst hob sie eine der brennenden Fackeln und steckte sie in den Mund. Erschrockenes Gemurmel kam in der Gruppe der Ritter auf, und Bedivere und Lancelot schauten einander betroffen an.

»Hmmm«, machte Arthur verlegen. »Ist das alles, was sie kann?«

Die Große Alma schüttelte die goldenen Locken,

und ihr münzenbesetztes Kostüm funkelte in der Sonne. Dann nahm sie die glühende Fackel aus dem Mund und steckte sich die zweite brennende hinein, deren Flammen sie ebenfalls zu essen schien.

»Ooooh!« kam es von der Gruppe der Ritter.

»Aaaah!« machten Sir Lancelot und Sir Bedivere.

König Arthur versuchte zu verbergen, daß er leicht fröstelte.

Die Große Alma machte den Mund auf und blies. Eine strahlende, gold- und orangefarbene Flamme züngelte aus ihrer Kehle und versengte das Gras.

Die Streitrösser wieherten und bäumten sich vor Angst auf, während ihre Reiter die Gesichter wegdrehten.

»Sie hat wahrhaftig den feurigen Atem eines Drachen!« stöhnte Sir Lancelot, fiel auf die Knie und schlug die Hände über dem Kopf zusammen.

»Sie ist wirklich mehr Drache als Frau!« ächzte Sir Bedivere, stürzte der Länge nach auf den Boden und schützte den Kopf mit den Händen.

»Es – es sind Tricks, ich sage es euch«, stotterte König Arthur. »Die – die Hexe ist nicht gefährlich, soweit es mich . . .« Doch er verstummte und hob schützend den Zauberpilz, als die Große Alma auf ihn zutrat. »Was willst du von mir, Große Alma?« murmelte er zitternd.

»Kann ich mal für einen Augenblick Ihr Schwert haben?« bat die Große Alma.

»Versprichst du, es zurückzugeben?« sagte König Arthur.

Die Große Alma nickte und nahm das Schwert Excalibur aus Arthurs starren Fingern. Und während die Anwesenden entsetzt zuschauten, warf sie den Kopf zurück, hob die funkelnde Klinge mit beiden Händen und schob sie langsam ihre Kehle hinunter.

Der langgezogene, tiefe Schreckensschrei, der von der Gruppe der Ritter aufstieg, war heftig und furchtbar.

»Hör auf!« rief der König. »Hör sofort auf!«

Doch die Große Alma beachtete ihn nicht, und Excalibur verschwand Zentimeter um Zentimeter in ihrer Kehle.

»Bitte, Merlin«, flehte der König. »Sag ihr, sie soll aufhören. Das ist mein Excalibur! Ich habe dieses Schwert aus einem Stein herausgezogen, und kein anderer konnte es auch nur hochheben! Ich komme in die größten Schwierigkeiten, wenn ich es nicht zurückkriege!«

»Und was bekomme ich dafür, wenn ich sie zum Aufhören bewege?« fragte Merlin.

»Alles, was du willst!« versprach der König. »Gib mir nur mein Schwert zurück, ganz und heil, und ich tu alles, was du willst!«

»Wie steht es mit den Drachen?« fragte der alte Zauberer.

»Ach, zum Teufel mit den Drachen! Sie sollen verschont werden. Ginevra hätte mir sowieso die Hölle heiß gemacht, wenn ich noch mehr Drachenköpfe mitgebracht hätte.«

»Schwört Ihr, daß den Drachen kein Leid mehr geschieht – nie mehr?«

»Ja – ja!« König Arthur nickte heftig.

»Dann schwört es bei der Ehre der Tafelrunde.«

Inzwischen war nur noch ein sehr kleines Stück von Excaliburs Klinge über dem geöffneten Mund der Großen Alma zu sehen.

»Ich schwöre es! Ich schwöre es!« schrie König Arthur. »Alles, was du willst! Ich schwöre es bei der Ehre der Tafelrunde!«

Merlin nickte der Großen Alma zu, die Excalibur Hand für Hand aus ihrer Kehle zog. »Bitte sehr, Majestät.« Sie lächelte Arthur aufmunternd zu und gab ihm sein Schwert zurück. »Es ist nichts passiert – Sie werden feststellen, es ist so gut wie neu.«

»Herzlichen Dank«, sagte Arthur aufrichtig.

»Und weil wir gerade beim Thema ›Borgen bringt Sorgen‹ sind«, sagte Emily Hollins, die mit Henry längst auf den Schauplatz der Ereignisse gekommen war, »wäre ich Ihnen dankbar, wenn Sie mir meine Regenhaut zurückgeben wollten.«

»Regen – Regen – was?« stotterte Arthur. Er begriff weder, woher die zweite Hexe gekommen war, noch, wovon sie redete.

»Sie meint den Mantel aus vielen Fenstern, Sire«, sagte Merlin.

»Und auch meinen Regenschirm hätte ich gern wieder, wenn Sie ihn ausgebraucht haben, Majestät.«

»R-r-regenschirm?« sagte der König.

»Sie spricht vom Zauberpilz, mein Herr«, sagte Merlin.

Arthur sah enttäuscht aus. »Darf ich denn gar nichts behalten?« fragte er. »Immerhin bin ich der König!«

»Ach, na gut«, sagte Emily großzügig. »Den Regenschirm können Sie behalten. Ich wollte mir sowieso einen neuen kaufen. Aber vergessen Sie nicht Ihr Versprechen wegen der Drachen.«

Arthur schaute zur Schlucht, wo die Schnauze eines neugierigen Drachen aufgetaucht war und die Luft schnupperte, als ahnte er seine neugewonnene Sicherheit. »Ja, was die Drachen angeht – irgendwas müssen wir tun, wißt ihr!«

»Ihr habt Euer Ehrenwort gegeben, daß Ihr ihnen

kein Leid zufügt«, widersprach Merlin. »Ihr habt es bei der Ehre der Tafelrunde geschworen.«

»Ich weiß, ich weiß«, sagte Arthur gereizt. »Und ich halte mein Wort. Dennoch, wir können nicht zulassen, daß eine ganze Meute frei herumläuft – und die Landschaft verwüstet und die Bauern in Angst und Schrekken versetzt.«

»Sie verwüsten gar nichts«, unterbrach Henry ihn rasch, »und sie versetzen auch niemand in Angst und Schrecken.«

Arthur runzelte die Stirn über diesen unerbetenen Einwurf. »Wenn ich wissen will, was der Lehrling einer Niete von Zauberer meint, dann frage ich danach«, sagte er. »Na gut, ich gebe zu, sie verwüsten nicht gerade das Land. Aber sie zertrampeln Gemüsebeete – und stehlen Kohlköpfe ohne die geringsten Gewissensbisse. Sie fressen entsetzlich viel. Und du kannst lange sagen, daß sie die Leute nicht in Angst und Schrecken versetzen – vielleicht meinen sie es ja nicht so –, aber wie fändest du es, wenn du eine alte Bäuerin wärst und mitten am Nachmittag plötzlich eine Drachenschnauze in deinem Küchenfenster sehen würdest?«

»Ihr habt es versprochen!« wiederholte Merlin energisch.

»Ich weiß! Ich weiß! Und das Wort eines Königs gilt soviel wie Brief und Siegel! Ich sage nur, man kann nicht zulassen, daß sie im ganzen Königreich herumstreunen. Irgendwas müssen wir wegen der Bestien unternehmen!«

»Ich hätte eine Idee, wenn Sie mir zuhören wollten«, sagte Henry.

»Ich habe dir schon gesagt, Knabe«, fuhr Arthur ihn an, »wenn ich wissen will . . .«

»Sie könnten den Jungen wenigstens mal ausreden lassen«, unterbrach Merlin den König.

»Also, meinetwegen. Was ist das für eine Idee?«

»Nun . . .«, fing Henry an, und König Arthur hörte zu.

Königin Ginevra und Arthur, der König, standen auf der höchsten Balustrade von Camelot und schauten hinunter auf den Wall. Sie sahen und hörten zu, wie die zwei weißen Schwäne quakend und flügelschlagend auf einen jungen Drachen losgingen, der in ihr Revier beim Wallgraben eingedrungen war.

Ginevra beschattete die Augen mit der Hand und sah hinunter auf den Rasen, wo weitere Drachen weideten, am kurzen, süßen Gras knabberten oder Blätter von den unteren Ästen der Bäume fraßen. In der Ferne konnte die Königin gerade noch die Ritter der Tafelrunde ausmachen, die einen Zaun um Camelots Park errichteten.

»Wie soll das heißen? Was hast du gesagt?« fragte sie Arthur.

»Wenn ich mich recht erinnere, mein Schatz, dann hat der junge Zauberlehrling von einem Safari-Park gesprochen«, sagte Arthur.

»Ein merkwürdiger Name!« Ginevra runzelte die Stirn. »Immerhin, wenn sie so auf dem Rasen spielen, sehen sie viel hübscher aus als ausgestopft an den Wänden der großen Schloßhalle. Aber können wir es uns überhaupt leisten, Drachen zu halten?«

»Der Knabe von Merlin hat vorgeschlagen, wir sollen von den Bauern Geld dafür verlangen, daß sie kommen und sie anschauen.«

»Warum sollten uns die Bauern Geld dafür geben, Drachen anzuschauen, von denen sie fast ihr ganzes Leben lang davongelaufen sind?«

»Ich weiß nicht, Schatz«, sagte Arthur. »Aber der

Zauberlehrling dachte, sie würden es tun. Er kommt mir recht gescheit vor. Er meinte auch, wir sollten von den Bauern noch ein bißchen mehr verlangen und sie dafür ruhig noch das Schloß besichtigen lassen.«

»Wer um alles in der Welt zahlt schon gutes Geld, um diese alte Ruine zu betrachten?«

»Das weiß ich auch nicht«, sagte Arthur. »Aber die zweite Hexe, die mir den Zauberpilz geschenkt hat, meinte, wir könnten noch mehr Geld für Teegebäck verlangen.«

»Was ist Teegebäck?« fragte die Königin.

»Ich fürchte, auch das weiß ich nicht, mein Schatz«, gab Arthur zurück.

»Es kommt mir vor, als wüßtest du überhaupt nicht viel, Arthur.«

»Das stimmt schon, mein Schatz«, sagte der König. »Aber wenn ich die Hexe und den Zauberlehrling richtig verstanden habe, dann hat das alles mit etwas zu tun, was man Besichtigung sehenswerter Häuser nennt.«

»Ich glaube nicht«, sagte Ginevra kühl, »daß sich so etwas durchsetzt.« Sie ging zur Treppe und blieb stehen, um das letzte Wort zu haben, bevor sie sich auf ihr Zimmer begab. »Oh, übrigens gibt es heute abend leider wieder kalte Pfauenzungen – wir müssen immer noch Reste von diesem letzten Festmahl aufessen, das du unbedingt haben wolltest.«

Arthur seufzte. Er griff in seine Gewänder und holte sich zum Trost das kleine Abschiedsgeschenk hervor, das ihm die Hexe mit dem Mantel aus vielen Fenstern gegeben hatte. Es war eine halbleere Dose mit extrastarken Pfefferminzbonbons. Er steckte eines in den Mund. Einen Augenblick später zog er ein Gesicht und spuckte das Bonbon aus. Das kleine runde Pfefferminz flog über die Brüstung und fiel tief unten in den Graben.

König Arthur fächelte sich Luft zu.

10

»Es wird Zeit, daß du gehst«, sagte Merlin, der am Höhleneingang stand. »Du mußt noch deine normalen Kleider anziehen.«

»Sofort.« Henry streichelte die Schnauze des jungen Drachen. Das Tier, das sich mit ihm angefreundet hatte, war zum Abschiednehmen hergekommen.

Der alte Zauberer kam gemächlich herüber.

Der junge Drache rieb den Kopf an Henrys Wams, und Henry spürte, wie ihn etwas drückte. Er griff in die Tasche und zog die kleine Lederflasche hervor, die Merlin ihm gegeben hatte . . . Wann? Erst gestern? Der Drache schnaufte vor Aufregung. Seine lange rosa Zunge schnellte hervor und leckte gierig am Flaschenkorken. Henry zog ihn heraus und schüttete dem Drachen die grüne Mischung ins Maul. Der Drache schleckte Henrys Hand ab und schlug mit dem Schwanz auf den Boden.

»Das ist es!« Henry lachte. »Drachenfutter.«

Merlin lächelte. »Jeden Abend werde ich ihnen einen Kessel davon geben.«

»Wie lange können sie jetzt überleben?« Henry streichelte den lederigen Hals des jungen Drachen und zupfte an den Hautfalten hinter seinem Ohr.

Der alte Zauberer schüttelte den Kopf. »Wer kann das sagen? Ich fürchte, sie sind immer noch eine aussterbende Art – aber nun werden sie jedenfalls länger hier sein, als das ohne deine Hilfe möglich gewesen wäre. Ohne sie wird es öder sein auf der Welt.«

Henry nickte.

Eine Wolke schob sich vor die Sonne.

»Jetzt mußt du aber wirklich gehen«, sagte der alte Zauberer.

»Ja.« Der Junge tätschelte das Tier zum letzten Mal. »Tschüs, Draggi. Gib auf dich acht.«

Emily Hollins und die Große Alma warteten in Merlins Höhle auf Henry.

»Mir hat es viel Spaß gemacht«, sagte Emily, als Henry sich umzog.

»Mir auch«, sagte die Große Alma begeistert. »Es war irre! Bis auf das Verlies natürlich. Das war nicht sehr nett. Aber selbst daran werde ich mich noch oft erinnern.«

Merlin schüttelte den Kopf. »Ich fürchte, Sie werden sich an nichts mehr erinnern. Sobald Sie aus dem Zeittunnel treten, haben Sie alles vergessen, was hier geschehen ist.«

»Jede Kleinigkeit?« fragte Emily traurig.

»Jede einzelne Begebenheit.«

»Ach, das macht nichts.« Emily wurde wieder vergnügt. »Vielleicht ist es so am besten. Es hätte uns sowieso niemand geglaubt.«

»Ich bin soweit«, sagte Henry und knöpfte seine Jacke zu.

Die drei Besucher von Camelot gingen in den Hintergrund der Höhle zum Eingang des langen, dunklen Tunnels.

»Lebt wohl«, sagte Merlin. »Ich glaube nicht, daß wir einander noch mal begegnen.«

»Kommen Sie nicht mit?« fragte Henry.

Merlin schüttelte den Kopf.

»Aber Ihr magisches Kabinett?«

»Mach dir darum keine Sorgen«, sagte der alte Zauberer.

Emily und die Große Alma winkten Merlin zum Abschied und traten in den Tunnel.

Henry wollte ihnen folgen, da fiel ihm etwas ein. »Zu welcher Zeit kehren wir zurück?« fragte er.

»Genau zur gleichen Zeit, zu der ihr weggegangen seid«, sagte Merlin. »Wann sonst?«

Obwohl er als letzter den Zeittunnel betreten hatte, kam Henry Hollins als erster aus dem magischen Kabinett auf die Bühne des Theaters am Südkai in Cockleton-am-Meer. Nach der absoluten Dunkelheit blinzelte Henry in das helle Rampenlicht, das ihn von allen Seiten traf.

Das Publikum klatschte und johlte.

»Das war ein toller Trick, was?« sagte Albert Hollins und drehte sich zum Nachbarsitz um. Doch zu seiner Überraschung war Emily nicht da. Noch mehr staunte er, als er sah, wie auf der Bühne seine Frau hinter seinem Sohn aus dem magischen Kabinett des Zauberers kam. Wie um alles in der Welt war sie dort hineingeraten?

Das Publikum brüllte vor Lachen. Es hatte gesehen, wie ein kleiner Junge in den Kasten gestiegen und darin verschwunden war, und jetzt kam er mit einer rundlichen Frau zurück, die fest ihre Handtasche umklammerte. Droben auf der Bühne versuchte Emily, Haltung zu bewahren. Vor einem Augenblick hatte sie noch in der dritten Reihe Sperrsitz gesessen. Und jetzt schien sie plötzlich zum Programm zu gehören.

Noch bevor Emily Hollins sich gefaßt hatte, trat die Große Alma aus dem magischen Kabinett.

Die Zuschauer stampften mit den Füßen und pfiffen auf den Fingern. Die Große Alma knickste. Sie hatte keine Ahnung, was hier vorging, doch sie hatte zeit ihres Lebens auf der Bühne gestanden und wußte also, wie man sich für Applaus bedankt. Die Große Alma knickste wieder.

Der Geschäftsführer des Theaters, Mr. Grundy, schaute von der Seitenkulisse aus zu. »Was zum Teufel geht hier vor?« fragte er den Mann, der für die Vorhänge verantwortlich war.

»Keine Ahnung, Chef.«

Auf der Bühne schauten sich Emily Hollins und Henry immer noch verwirrt um, während die Große Alma zum drittenmal knickste.

»Wo ist dieser alte Narr von einem Zauberer?« fragte der Geschäftsführer.

»Weiß nicht, Chef«, sagte der Mann, der für die Vorhänge verantwortlich war.

»Laß den Vorhang fallen«, sagte der Geschäftsführer.

Die Zuschauer klatschten, daß ihnen die Hände schmerzten, als der rote Samtvorhang fiel und die Große Alma noch mal knickste.

Der Geschäftsführer schüttelte ungläubig den Kopf. »Hol einen der Platzanweiser«, sagte er zu dem Mann, der für die Vorhänge verantwortlich war, »der diese beiden Zuschauer zu ihren Plätzen zurückbringt.« Als dann die Große Alma von der Bühne kam, sagte er zu ihr: »Ich bin froh, daß es Ihrem Hals bessergeht. Sie können im zweiten Teil statt dieses lächerlichen Zauberers auftreten.«

»Welcher Zauberer?« fragte die Große Alma und überlegte sich, was der Geschäftsführer mit ihrem Hals gemeint hatte.

»Der alte Zauberer«, sagte der Geschäftsführer, »der mit dem magischen Kabinett dort . . .« Er schaute zur Bühne und verstummte.

Das magische Kabinett hatte sich in Luft aufgelöst.

Als der letzte Vorhang der Matineevorstellung gefallen war, sagte Emily Hollins zu ihrem Mann Albert: »Ich habe jede Minute genossen. Das war mal ein schöner Nachmittag.«

»Finde ich auch«, sagte Albert. »Und du, Henry?«

»Irre«, sagte ihr Sohn. »Diese Schwertschluckerin war großartig.«

»Komisch«, sagte Emily. »Ich war mir sicher, daß ich meinen Schirm unter den Sitz gelegt hatte. Er ist verschwunden.«

»Du würdest deinen Kopf verlieren, wenn er nicht angewachsen wäre.« Albert blinzelte Henry zu.

»Und schaut euch das an!« Emily faltete ihre durchsichtige Regenhaut auseinander. »Voller Löcher! Wie ist das bloß passiert?«

»Motten«, sagte Albert.

»Motten machen sich nichts aus Plastik«, sagte Emily. Sie folgten jetzt dem Rest des Publikums durch den Mittelgang zum hinteren Ausgang. »Was mach ich bloß, wenn es draußen Bindfäden regnet?«

»Wetten, daß nicht?« sagte Henry Hollins. »Ich wette, die Sonne scheint.«

»Hoffentlich«, sagte Albert. »Es ist erst halb fünf.

Wenn es nicht regnet, können wir vor dem Tee noch ein bißchen Fußball am Strand spielen.«

»Ich bin als Stürmer dran«, sagte Henry. »Mama Verteidiger, und du im Tor. Hoffentlich regnet es nicht.« Er drückte die Daumen. »Hoffentlich brennt die Sonne wie verrückt.«

Und so war es dann auch.

WILLIS HALL

DER LETZTE VAMPIR

Die Hollins machen eine Campingreise zum Kontinent. Sie wissen allerdings nicht, wo genau sie in Europa sind, nur Sohn Henry ahnt, wohin sie sich verirrt haben. Mit einer Knoblauchkralle bewaffnet, schaut er sich in der Burg ALUCARD um. Und er findet ihn im Schrank, den letzten Nachfahren der Draculas: Ein Vampir, der als Vegetarier am liebsten Blutorangen ißt …

»Willis Hall verknüpft Witz und Abenteuer höchst amüsant und führt ganz nebenbei einen Feldzug gegen das Vorurteil in allen möglichen Erscheinungsformen.«

Süddeutsche Zeitung

Dressler